Sylvie Allouche et Sandra Laugier
présentent

Philoséries
Buffy,
tueuse de vampires

Sylvie Allouche, Sandra Laugier, Anne Besson,
Tristan Garcia, Barbara Olszewska,
Jeroen Gerrits, Jocelyn Benoist,
Pascale Molinier, Thierry Jandrok

Bragelonne Essais

Collection Essais
dirigée par Vincent Ferré

© Bragelonne 2014

ISBN : 978-2-35294-763-9

Bragelonne
60-62, rue d'Hauteville – 75010 Paris

E-mail : info@bragelonne.fr
Site Internet : www.bragelonne.fr

Sommaire

3. Approches psychanalytiques

Avant-propos : *Buffy contre les vampires* et Philoséries

SYLVIE ALLOUCHE ET SANDRA LAUGIER

Avec toute cette télé dont parlait Sheldon, j'ai eu une idée géniale. C'est même carrément meilleur que mon idée de café à thème *Star Wars*, *Chez Brewbacca*. Il faut que tu regardes *Buffy contre les vampires*. C'est le programme idéal pour nous deux. Il y a de l'action et des blagues, des vampires sexy et des histoires d'amour. Tu vas adorer[1] !

Twin Peaks, Buffy contre les vampires, 24 heures chrono, Lost, plus récemment *Dexter, Breaking Bad, Game of Thrones,* entre autres exemples, depuis une vingtaine d'années, les séries télévisées américaines qui parviennent à résoudre la difficile équation de la qualité et du succès populaire se sont multipliées au point que l'on peut sans conteste parler d'un véritable âge d'or du genre, lequel paraît encore loin d'être achevé, pour notre plus grand bonheur… Le secret semble tenir à la capacité proprement américaine à produire des valeurs et à les transmettre en se préoccupant de la réception, voire de l'éducation, sans crainte de tenir un propos explicitement moral, tout en évitant le moralisme. Si les États-Unis apparaissent comme le fer de lance de cette révolution qui a inscrit le genre de la série sinon au

7

rang d'art majeur (car l'expression a-t-elle un sens pour une culture démocratique ?), du moins de production culturelle sérieuse, d'autres pays ont su aussi investir, parfois avec une certaine avance, dans la production de qualité : c'est le cas de la Grande-Bretagne, qui avait déjà une belle tradition dans le domaine (*Chapeau melon et Bottes de cuir, Le Prisonnier,* etc.), mais aussi du Danemark (*Le Royaume*), de la France (*Engrenages*), de l'Espagne (*Aguila Roja*), ou encore du Japon, notamment dans le champ des *mangas* (*Evangelion, Serial Experiments Lain*).

Cependant, la France demeure en retard pour ce qui est de la recherche sur les médias et la culture populaire, et sur les séries télévisées en particulier, même si elle commence à se rattraper. Tandis qu'existent de nombreux cursus sur ces questions aux États-Unis et dans plusieurs pays européens, la France semble toujours avoir une réticence à considérer les séries télévisées, tout comme le film grand public, comme des œuvres véritables. Les progrès dans ce domaine ne pourront donc se faire que lorsque sera prise au sérieux l'intelligence apportée à la réalisation de ces productions, et que des cursus proposeront de les étudier systématiquement dans leur esthétique, le travail d'écriture qui les construit, leurs effets sociaux, leur réception, ainsi que leurs enjeux éthiques et politiques.

LA PERTINENCE PHILOSOPHIQUE DES ŒUVRES « GRAND PUBLIC »

Le présent livre[2] entend marquer l'ouverture d'une série d'études philosophiques sur ces œuvres remarquables que sont les grandes séries télévisées : à travers leurs saisons successives, elles accompagnent la vie ordinaire de générations de spectateurs. Or, *Buffy* est à ce titre une série emblématique, par sa qualité d'écriture et sa puissance philosophique, des ambitions du *medium* « séries » et de la philosophie qui en émerge, qu'il produit même.

C'est que nous sommes ici tributaires de la conception qu'a proposée Stanley Cavell de la pertinence philosophique des œuvres « grand public ». La réflexion sur la culture populaire, et sur ses objets « ordinaires » comme le cinéma hollywoodien, induit en effet une transformation de la théorie et de la critique, dont Cavell a été sans doute le premier à rendre compte. Car ce qui le préoccupe n'est pas tant un renversement des hiérarchies artistiques, ou du rapport entre théorie et pratique, qu'une transformation de soi rendue nécessaire par notre confrontation à de nouvelles expériences. Son inspirateur sur ces questions, Robert Warshow, auteur d'analyses remarquables de la culture populaire dans *The Immediate Experience*, le dit bien : « Culturellement, nous sommes tous des *self-made men*, nous nous constituons dans les termes des choix particuliers que nous faisons dans la multitude étourdissante de stimuli qui s'offrent à nous[3]. »

Cavell définissait dans *Les Voix de la raison* la philosophie comme une « éducation des adultes », en parallèle à son ambition, dans ses grands ouvrages sur le cinéma[4], de donner à la culture populaire la fonction de nous transformer. Selon lui, la valeur de la culture n'est pas en effet logée dans les « grands arts » mais dans sa capacité trans-formatrice, qui est bien à l'œuvre dans les séries. Les spectateurs de *Lost* le savent, pour ceux qui ont vu leur vie transformée par cette série.

La philosophie de Cavell définit la croissance, une fois passée l'enfance et le temps de la croissance physique, comme capacité à changer. C'est cette capacité qui s'exprime dans le sous-genre des comédies du remariage, objet d'étude privilégié de Cavell, qui met en scène l'éducation mutuelle des personnages, et leur transformation par la voie d'une séparation et de retrouvailles. À cette entreprise philosophique, Cavell donne aussi le nom suranné d'éducation morale – voire de pédagogie, dans le sous-titre de *Philosophie des salles obscures*. C'est que pour le philosophe, dont l'enfance et la jeunesse furent hantées par le cinéma hollywoodien, la valeur d'éducation de la culture populaire n'est pas anecdotique. Elle nous paraît même définir aujourd'hui ce qu'il faut entendre par « populaire » aussi bien que par le mot « culture » (au sens de la *Bildung* allemande) dans l'expression « culture populaire ». Dans cette perspective, cette dernière a pour vocation l'éducation philosophique d'un *public* plutôt que l'institution et la valorisation d'un corpus socialement ciblé.

La façon dont Cavell revendique la valeur philo-sophique du cinéma hollywoodien, le plaçant à hauteur des plus grandes œuvres de pensée sans pour autant méditer sur le cinéma comme grand art, a pu sembler trop facile, et même démagogique. Et pourtant, au fil des années, ce que Cavell revendiquait dans les années 1970 du cinéma grand public de Hollywood est non seulement devenu évident, mais s'est transféré à d'autres corpus et pratiques comme les séries télévisées, qui l'ont relayé, sinon remplacé, dans la tâche d'éducation des adolescents et adultes.

Ce qu'on entend aujourd'hui par culture populaire n'est donc plus exactement populaire au sens social ou politique où l'étaient certains arts ainsi désignés – la chanson, le folklore –, même si elle puise dans leurs ressources. Lorsqu'il s'agit de définir ce qu'est notre patrimoine commun et accessible, il faut plutôt penser au matériau des conversations ordinaires. À une époque et encore dans certains milieux, cela pouvait concerner le dernier film vu ou bien un livre ; désormais ce sera une série télévisée, chez les jeunes comme chez bon nombre d'adultes. La culture populaire se révèle alors un lieu d'« éducation des adultes », qui reviennent par cet intermédiaire à une forme d'éducation de soi, de culture de soi – un perfectionnement subjectif, plus exactement une subjectivation opérée par la mise en commun, par le partage et le commentaire d'un matériau public et ordinaire, intégré dans la vie quotidienne : c'est en ce sens que « nous sommes tous des *self-made men* », selon la formule de Warshow.

Pour comprendre les enjeux de ces objets culturels, il ne s'agit donc pas pour le critique d'interpréter, mais de laisser le film/la série dire ce qu'il/elle a à montrer, de se laisser éduquer par l'expérience qu'on traverse, et de retrouver une passivité de l'expérience et de sa répétition. Notre expérience de spectateur de cinéma relève de cette manière d'une culture ordinaire et partagée, d'un accès à la « physionomie » de l'ordinaire : c'est-à-dire, pour reprendre une idée de l'auteur fétiche de Cavell, Ralph Waldo Emerson, dans *The American Scholar*, « la littérature du pauvre, les sentiments de l'enfant, la philosophie de la rue, le sens de la vie domestique ». L'idée que la culture la plus haute est la culture partagée est en effet une des valeurs fondamentales que défend Cavell dans « Le cinéma à l'Université », postface d'*À la recherche du bonheur*. Pour lui, ce qu'une esthétique ordinaire du cinéma doit défendre, ce n'est pas la spécificité des individualités créatrices de l'œuvre, ni les œuvres dans leur singularité, mais l'expérience esthétique commune.

Le but de Cavell est en effet de proposer un changement de perspective – qu'il appelle parfois *révolution* – sur la culture populaire. Pour y arriver, il faut réellement prendre le philosophe au sérieux lorsqu'il veut associer, dans *À la recherche du bonheur*, le propos de *It Happened One Night* (*New-York Miami*, F. Capra, 1934) avec celui de la *Critique de la raison pure*. Évidemment, il y a là quelque chose de choquant, et c'est ce scandale même qui intéresse Cavell. Ce qui est scandaleux, ce n'est pas d'associer cinéma/séries et philosophie (c'est devenu commun), mais de les mettre à égalité dans leur compétence et dans leur capacité de formation. La pertinence philosophique d'un film, même et surtout commercial, est dans ce qu'il dit et montre lui-même, pas dans ce que la critique va y découvrir, ou élaborer à son propos. Car le « cauchemar de la critique », c'est de ne pas voir « l'intelligence *déjà* appliquée par un film à sa réalisation ».

SÉRIES ET GRAND PUBLIC

Cette perspective qu'a introduite Cavell sur le film vaut pour les séries télévisées, et tout ce qui relève de l'exploration et du mélange des « genres » : des formes d'art qui non seulement gardent le contact avec le public, mais l'éduquent aussi, éventuellement par la création d'un univers spécifique fondé sur, et produisant, sa culture propre. *Buffy* en est un exemple parfait, en ce que la série renvoie à l'ensemble de la culture pop (musique, films, BD) comme à son propre monde. Ainsi Joss Whedon avait-il conçu *Buffy* comme une œuvre féministe destinée à transformer moralement un public adolescent mixte, en montrant une jeune fille apparemment ordinaire, pourtant capable de se battre.

Ce projet éducatif, qui passe non seulement par un *role model*, mais aussi par des interrogations philosophiques et éthiques que parcourent les analyses ici réunies, est au cœur de l'entreprise intellectuelle, esthétique et morale de *Buffy* :

> — D'accord, aide-moi un peu, là. Pourquoi est-ce qu'il aime tellement cette série ?
>
> — Eh bien, il y a de l'action, et c'est drôle. Je veux dire, tu comprends qu'en général c'est le monstre qui pourchasse la jolie fille, mais que cette fois-ci c'est la jolie fille qui pourchasse les monstres ?
>
> — Youpi, c'est à l'envers. Je comprends[5].

LES ARTICLES DU RECUEIL

Conformément au projet d'ensemble « Philoséries », l'éclairage adopté dans cet ouvrage est d'abord celui de la philosophie (Sylvie Allouche, Jocelyn Benoist, Tristan Garcia, Jeroen Gerrits), tout en s'enrichissant des apports d'autres perspectives : anthropologie (Tristan Garcia, Barbara Olszewska), littérature comparée (Anne Besson), psychanalyse (Thierry Jandrok, Pascale Molinier). Le type d'étude varie aussi en termes de résolution : certains auteurs (Benoist, Gerrits, Olszewska) choisissent l'analyse détaillée d'épisodes déterminés, tandis que d'autres adoptent un point de vue plus englobant à l'échelle de la série tout entière (Allouche, Besson, Garcia, Jandrok, Molinier).

La première partie du recueil réunit ainsi un ensemble de contributions qui analysent *Buffy contre les vampires* du point de vue à la fois général et générique de l'insertion de la série dans le reste de la culture. Tout d'abord, Sylvie Allouche se demande quelles sont les «Voies pour philosopher avec les séries», l'exemple de *Buffy* servant de pierre de touche à cette question théorique, qu'elle examine en conduisant en particulier une comparaison avec le genre de la science-fiction sur lequel elle travaille habituellement. Puis Anne Besson (dans «*Buffy*, carrefour dans l'évolution des genres et des pratiques») reste dans la question du genre, mais en adoptant pour sa part une perspective d'historienne de la culture : déployant l'abondante postérité de *Buffy* en termes de pratiques génériques, elle s'emploie à montrer combien ce succès doit au rôle de catalyseur que la série a joué pour tout un ensemble de pratiques dispersées et disparates de la culture populaire antérieure. Tristan Garcia fait le même genre de diagnostic dans le chapitre suivant («*Buffy* : un fait adolescent total»), mais en utilisant cette fois-ci l'éclairage de l'anthropologie. Par son interprétation de *Buffy* comme exposition mythique du «fait adolescent» en «réaction aux rites de passage anciens devenus archaïques», il ouvre aussi sur les analyses de la partie suivante.

En effet, si les chapitres de la deuxième partie adoptent une méthodologie commune qui consiste à analyser un épisode particulier choisi pour sa pertinence, ils ont aussi ceci de spécifique qu'ils s'intéressent tous trois à des phases clés, en termes de «rites de passage», pour l'adolescente qu'est Buffy.

C'est ainsi que Barbara Olszewska (dans « Les adolescents meurent à 18 ans : *Buffy* et le rite de passage à l'âge adulte. Une double illusion ? ») développe à l'échelle d'un épisode particulier (« Sans défense », 312[6]) la même piste que Tristan Garcia, l'œuvre de référence étant pour tous deux le livre d'Arnold van Gennep (*Les Rites de passage*, 1909). Dans cet épisode, que l'on peut interpréter comme une sorte de mise en abîme de la série, le dix-huitième anniversaire de Buffy fournit au Conseil des Observateurs l'occasion de lui imposer un rite dont le but est de la faire passer du statut de Tueuse apprentie à celui de Tueuse confirmée. Le mensonge et la violence qui se cachent en réalité derrière ce rituel signent finalement à la fois la désillusion de Buffy sur l'institution ésotérique dont elle est le fer de lance, et le début d'un processus d'*empowerment* qui mûrira jusqu'au dernier épisode de la série.

Mais l'archaïque « *Cruciamentum* » n'est pas le seul rite que doit affronter notre héroïne, celui-ci ne lui ouvrant pas toutes les portes de l'âge adulte, en tout cas pas celles de la société américaine du début du XXIe siècle dans laquelle elle vit aussi. La saison 4 voit en effet l'entrée de Buffy au *College*, rite de passage cette fois-ci de l'Amérique moderne, et plus largement des sociétés développées, qui prolonge ce faisant bien au-delà de la puberté la période de latence statutaire des jeunes adultes. Jeroen Gerrits s'arrête justement dans « Ici-bas et encore plus bas : la projection empathique dans *Buffy the Vampire Slayer* » sur l'un des premiers épisodes de cette saison (« *Living Conditions* », 402), où Buffy doit faire face à une première étape de ce rite particulier, en l'espèce le partage de sa chambre avec une autre étudiante. S'appuyant sur certaines observations de Stanley Cavell,

Gerrits montre alors comment cet épisode fournit une matrice de réflexion à la question des conditions de la projection empathique.

Si l'épisode sur lequel se concentre Jocelyn Benoist se situe lui aussi dans la saison 4 (« Un silence de mort », 410), c'est cependant surtout à l'analyse d'Olszewska qu'il fait écho, et à de multiples titres, alors même qu'il part de la philosophie. Chacun s'intéresse en effet à un épisode de mi-parcours de saison qui met en scène une étape cruciale dans le progressif passage de Buffy à l'âge adulte : comme c'était déjà le cas pour le très explicite « Sans défense » de la saison 3, Benoist montre en quoi c'est l'expérience de la faiblesse et d'une forme de régression (à l'état d'enfant cette fois-ci, alors que pour « Sans défense » c'était à l'état d'humain normal) qui constitue pour Buffy la clé du passage vers une étape plus avancée de maturité. L'épreuve se révèle aussi dans les deux cas l'occasion d'une redéfinition des relations qui lient Buffy à ses proches, dont elle découvre un nouveau visage, et aux institutions auxquelles ils appartiennent, Giles et le Conseil des Observateurs dans la saison 3, Riley et l'Initiative dans la saison 4. De ce point de vue, il serait très intéressant de mettre en regard, ce qu'esquisse Benoist, ces thématiques avec celles de l'épisode peut-être le plus abouti de la série, à savoir l'épisode *musical* « Que le spectacle commence » (607), où se trouvent à nouveau investis les thèmes du caractère mortifère du secret et de la redéfinition des identités une fois ce secret éventé.

Mais à propos de secret éventé, difficile de parler d'adolescence sans aborder la question de la sexualité, puisque c'est bien ce qui s'y joue du point de vue physiologique : transformation du corps, émergence

16

du désir, premières expériences sexuelles, etc. Si le thème, aussi éternel qu'il soit, pourrait paraître un peu trop éculé, la justesse psychologique avec laquelle il est traité dans *Buffy*, sous son apparence trompeusement potache, nous semble en réalité l'une des qualités qui recommandent le plus la série à l'attention du spectateur. Les auteurs de ce volume ne s'y sont pas trompés, rares étant ceux qui n'abordent pas la question à un moment ou à un autre. C'est le cas par exemple de Benoist lorsqu'il montre combien la question du sexe est en réalité au cœur de ce qui fait « perdre la voix » tout en étant ce qui peut la redonner. À ce titre, l'approche psychanalytique se révèle particulièrement pertinente pour mettre en lumière la complexité pulsionnelle et morale de ce qui se joue dans la sexualité naissante de l'adolescent puis du jeune adulte. Ce sont justement à ces perspectives que se consacrent les études de la dernière partie, « Sur la Bouche de l'Enfer. Sexualités de *Buffy* – "Ça vient d'en dessous, ça dévore tout" » de Pascale Molinier et « *Buffy*, une relecture de la mythologie adolescente » de Thierry Jandrok, qui ferme la boucle ouverte avec les chapitres de la première partie.

Mythe et rites de passage

Si l'on adopte à présent un point de vue un peu plus surplombant sur l'ensemble de l'ouvrage, quelques thématiques communes se dégagent de façon très nette. D'abord, d'un point de vue formel, *Buffy* apparaît comme lieu de réinvestissement et de réécriture : des codes génériques du XXe siècle, comme le soulignent Besson pour différents aspects de la culture populaire, et Allouche pour la science-fiction ; mais aussi du conte, comme le montre Benoist au sujet des figures cauchemardesques des « gentlemen ». Si Allouche et Garcia s'intéressent aussi à ce que « faire monde » peut bien signifier pour une fiction, ce sur quoi reviennent avec le plus d'insistance les auteurs est davantage la façon dont *Buffy* « fait mythe ». C'est le cas de Benoist, Garcia et Molinier, mais aussi de Jandrok lorsqu'il analyse la façon dont la culture américaine utilise la série pour se réapproprier les mythes fondateurs occidentaux, ou lorsque Olszewska convoque le mythe d'Œdipe.

Qu'est-ce qui se joue justement dans cette aptitude de *Buffy* à « faire mythe » ? La clé se trouve sans doute dans la justesse avec laquelle l'adolescence y est représentée comme temps de passage d'un âge à un autre (Benoist, Garcia, Gerrits, Jandrok, Molinier, Olszewska). Par le syncrétisme créateur qu'elle opère dans la culture populaire, *Buffy* se révèle alors apte à dire en un tout si ce n'est parfaitement cohérent, du moins tangible, vivant, organique, ce qui se joue primordialement dans la sorte de rite de passage – sans rituel et sans fin – que constitue l'adolescence des sociétés développées. Car derrière cet âge, lieu paradoxal de tous les désirs et dont la durée semble en expansion permanente, il y a en réalité une violence que la culture moderne impose aux personnes et à leur corps dans leur donnée biologique. Nombre d'auteurs y insistent : ce qui fait en grande partie l'efficace de *Buffy*, c'est la façon dont elle met en lumière la violence, et même la cruauté, qui s'exprime dans ce temps de passage, à la fois si scandé et pourtant informe, et où l'enjeu pour chacun est de trouver un « arrangement » quel qu'il soit avec ce Mal primordial, ce *First* qui est au fondement de nos existences et menace en permanence de les déborder, de l'extérieur, de l'intérieur, d'en bas (Gerrits, Molinier).

Après ces considérations bien sombres qui reflètent une tonalité peut-être plus proche en réalité de ce qu'on trouve dans *Angel* (le *spin-off* de *Buffy*), il nous semble nécessaire de rappeler certaines caractéristiques saillantes de la série, auxquelles on aurait aimé rendre davantage justice. En effet, parmi les aspects les plus remarquables de *Buffy*, il y a une qualité d'humour, une virtuosité des dialogues et une sensibilité au langage, un mélange caractéristique de sublime et de grotesque, qui jouent un rôle tout aussi déterminant dans la fidélisation de son public que la sollicitation libidinale que Pascale Molinier met par ailleurs si bien en évidence.

Car c'est bien l'art de la conversation, parfaitement maîtrisé par les créateurs et scénaristes de *Buffy*, comme par des acteurs au sommet de leur talent (et dont on a le plaisir de retrouver certains dans des séries phares postérieures comme *How I Met Your Mother*, dont l'art conversationnel est hérité de *Buffy* autant que de *Friends*), qui est au cœur de la série et lui donne sa tonalité particulière, exprimée de façon remarquable dans les deux épisodes emblématiques, muet et musical, évoqués ici même. Ce talent de la parole en situation appartient à ce qu'il nous reste à décrire de *Buffy*, ainsi que des autres séries de Joss Whedon (*Angel, Firefly, Dollhouse…*). À moins qu'il ne s'agisse en fin de compte là encore de « ce dont on ne peut parler »…

> — Alors, tu as aimé ? Bien sûr que tu as aimé. Comment pourrais-tu ne pas aimer ? Dis-moi combien tu as aimé.
> — C'était mignon.

— Oh, ne dis pas mignon. C'est le pire. [...] Je viens de...
Je ne comprends pas comment tu peux regarder une
série aussi géniale et ne pas être enthousiasmée. [...]
— Oh, allez, ne sois pas comme ça. Eh bien... désolée
d'avoir dit que c'était mignon. Regardons-en un autre[7].

NOTES

1. «With all the TV Sheldon was talking about, I had the greatest idea
ever. It even blows away my idea for a *Star Wars* themed coffee shop
called Brewbacca's. You need to watch *Buffy the Vampire Slayer*. It
is the perfect show for the two of us. It's got action and jokes and
hot vampires and romance. I cannot oversell this!», Leonard à Penny
dans «The closure alternative», épisode 21 de la saison 6 de *The Big
Bang Theory* (C. Lorre & B. Prady, CBS, 25 avril 2013), traduction de
S. Allouche.

2. Ce livre reprend la plupart des interventions de la Journée d'études
internationale intitulée «Buffy, tueuse de vampires», organisée le
vendredi 26 juin 2009 par Barbara Olszewska, Sandra Laugier et
Sylvie Allouche à la Cité internationale universitaire de Paris, avec le
soutien de l'Université technologique de Compiègne, EA COSTECH,
l'Université de Picardie Jules-Verne, UMR CURAPP, le programme
ASC – Apprentissage et sens commun –, la Région Picardie et la
Communauté européenne, la plate-forme «Philosophies et technique»
(COSTECH), le séminaire «Perception des valeurs».

3. R. Warshow, *The Immediate Expérience: Movies, Comics, Theatre
and Other Aspects of Popular Culture*, New York, Doubleday, 1962,
rééd. Cambridge, Harvard University Press, 2001, postface de S.
Cavell, p. 9.

4. S. Cavell, *La Projection du monde, réflexions sur l'ontologie du
cinéma*, trad. fr. C. Fournier, Paris, Belin, 1999 [1971]; *À la recherche
du bonheur. Hollywood et la comédie du remariage*, Paris, Éd. de
l'étoile/Cahiers du cinéma, 1993 [1981]; *Philosophie des salles
obscures [Cities of Words]*, trad. fr. N. Ferron, M. Girel et É. Domenach,
Paris, Flammarion, 2011 [2004] – ce dernier livre reprend l'ensemble
de l'enseignement de Stanley Cavell à Harvard, alternant leçons de

philosophie et études de films. Voir aussi les essais rassemblés dans *Le cinéma nous rend-il meilleurs ?*, Montrouge, Bayard, 2003.

5. «Okay, help me out here. Why does he love this show so much?

— Well, there was action, it was funny. I mean, you do get that usually the monster chases the pretty girl, but this time the pretty girl chases the monsters?

— Yippee, it's backwards. I get it.» Discussion entre Penny et Bernadette au sujet de Leonard (C. Lorre & B. Prady, *op. cit.*), traduction de S. Allouche.

6. La numérotation des épisodes suit la convention suivante : 312 désigne l'épisode n° 12 de la saison 3. Références : *Buffy the Vampire Slayer, Buffy contre les vampires*, série créée par J. Whedon ; production Mutant Enemy Inc., Kuzui Enterprises, Sandollar Television, 20th Century Fox Television ; 1re diffusion sur Warner Bros Television (WB. de mars 1997 à mai 2001 (quatre saisons), sur UPN de septembre 2001 à mai 2003 (trois saisons supplémentaires, pour sept au total), diffusion en France sur Série Club et M6.

7. «So, did you love it? Of course you loved it. How could you not love it? Tell me how much you loved it.

— It was cute.

— Oh, don't say cute. That's the worst. […] I just… I don't understand how you can watch a show that great and not be excited by it. […]

— Oh, come on, don't be like that. Well… I'm sorry I called it cute. Let's watch another one », discussion entre Leonard et Penny après qu'il lui a montré le premier épisode de *Buffy* (C. Lorre & B. Prady, *op. cit.*), traduction de S. Allouche.

1. Approches génériques

VOIES POUR PHILOSOPHER AVEC LES SÉRIES – L'EXEMPLE DE BUFFY, TUEUSE DE VAMPIRES

SYLVIE ALLOUCHE

Cela fait une quinzaine d'années que je conduis une réflexion sur la façon dont la science-fiction (SF) pourrait ou non nous aider à mieux philosopher. Si la série *Buffy the Vampire Slayer*[8] diffère de mes objets d'étude habituels du fait qu'elle relève plutôt du genre fantastique, et même plus précisément de la *fantasy* urbaine, je compte que cette incursion temporaire hors de mon terrain d'investigation familier permette de saisir les types de questionnement philosophique ouverts par l'utilisation du support sériel en général. En me servant en quelque sorte de *Buffy* comme pierre de touche, je me propose ainsi d'examiner les questions méthodologiques suivantes : comment philosophe-t-on ou peut-on philosopher avec les séries ? Quelles sont les différentes méthodes d'investigation possibles ? Quelles conditions doit remplir une série pour pouvoir être le support d'un type déterminé de questionnement philosophique ?

La première partie de ma réflexion porte sur le fonctionnement de la suspension d'incrédulité dans

Buffy, ce qui me conduit à élucider pourquoi le type d'enquête prospectiviste que je mène habituellement est impossible avec cette série. La dernière partie de mon propos se donne alors pour tâche d'examiner les méthodes d'exploration philosophique qui demeurent cependant ouvertes.

Avant d'entrer dans le vif du sujet, précisons encore deux choses : d'une part, je ferai au cours de cette étude la distinction entre *réaliste* au sens de « qui utilise les techniques de narration du récit réaliste », et *réeliste* au sens de « qui présente des événements susceptibles d'avoir eu lieu dans le monde réel tel que nous le connaissons » ; et d'autre part, comme je formule dans la suite des arguments qui peuvent être interprétés comme critiques de la série, je tiens à souligner que je lui reconnais nombre de qualités (intérêt des scénarios, justesse psychologique, humour, virtuosité des dialogues, cohérence interne du monde, etc.), mais que celles-ci ne font pas précisément l'objet de cette étude.

LE PROBLÈME DES INVRAISEMBLANCES DE BUFFY

Buffy semble, pour commencer, constituer un cas particulièrement intéressant pour comprendre le fonctionnement du processus cognitif appelé en théorie de la fiction « suspension d'incrédulité », dans la mesure où un certain nombre de motifs rendent justement difficile cette suspension. Les éléments les plus remarquables à cet égard sont sans doute le maquillage de carton-pâte des vampires et des démons, la mise en scène chorégraphique des combats, et les mots d'esprit qui les ponctuent quasi systématiquement. Plus fondamentalement, le spectateur peut avoir du mal à suspendre son incrédulité vis-à-vis du *pitch* initial lui-même selon lequel la protection de l'humanité repose tout entière sur les épaules d'une unique adolescente choisie comme *slayer*; et les démons en mal d'apocalypse semblent systématiquement s'installer à Sunnydale, la ville qu'habite justement Buffy, la *slayer* du moment.

Afin de neutraliser un certain nombre de ces éléments qui compromettent l'adhésion fictionnelle, des justifications sont cependant régulièrement proposées de l'intérieur. Ainsi, sur le dernier point évoqué, une explication est apportée à travers la très mystique Bouche de l'Enfer, qui se trouve être justement à Sunnydale. Giles, le bibliothécaire-*watcher*, souligne dans « The Harvest » (102[9]) le fait que les habitants de Sunnydale semblent curieusement oublier ou rationaliser les innombrables événements surnaturels auxquels ils assistent. On finit par apprendre que le maire/démon de la ville a joué pendant des années un rôle fondamental dans la mémoire sélective de ses administrés, et que ceux-ci ont aussi fait en partie semblant de ne rien remarquer d'extraordinaire (« The Prom », 320). Une procédure auto-justificationnelle paradoxale consiste encore à tourner en dérision certaines invraisemblances structurelles, comme l'épitaphe inscrite sur la tombe de Buffy : « Elle a sauvé le monde – souvent » (« *she saved the world – a lot* » : « The Gift », 522). Demeure cependant un dernier aspect invraisemblable du *Buffyverse*[10], à savoir le traitement des éléments SF de la série.

Le statut des thèmes SF de Buffy

Buffy intègre au fil de ses scénarios en un joyeux syncrétisme des thèmes tirés de l'imaginaire SF, d'autant moins pris au sérieux qu'ils sont introduits dans un univers primordialement fantastique, et que Buffy se fait elle-même la porte-parole d'une position qui méprise tout ce qui relève du gadget technologique, comme le montre par exemple son attitude vis-à-vis de l'Initiative dans la saison 4. Si certains spectateurs accordent peu d'importance à la question de savoir si au fond « tout cela tient debout » du moment que les histoires sont distrayantes, d'autres considèrent que c'est justement là tout l'intérêt du *topos* SF. Or un premier aspect de ce manque de fidélité de *Buffy* à l'esprit SF pourrait se résumer de la façon suivante : le *Buffyverse* n'a pas fait sa révolution copernicienne (autrement dit, sa cosmologie implicite est celle d'un système géocentrique où la Terre est centre du monde, par opposition au système héliocentrique de la science contemporaine qui fait tourner la Terre autour du Soleil, et de celui-ci une étoile quelconque parmi une infinité d'autres).

Si l'on comprend par exemple que les vampires soient sur Terre – ils sont originellement humains et se nourrissent de sang –, pourquoi les démons, qui proviennent de diverses dimensions infernales, ne vont-ils pas s'installer ailleurs, sur d'autres planètes ? Une réponse possible serait que les démons ont besoin de faire le mal, et que pour cela, ils ont besoin de victimes ; et peut-être que les humains, du fait même de la complexité de leur conscience morale par exemple, constituent des proies bien plus intéressantes que d'éventuels extraterrestres.

Mais l'argument qui consisterait à dire que les démons apparaissent sur Terre parce qu'ils viennent eux-mêmes d'une Terre parallèle paraît renvoyer à nouveau à la métaphysique précopernicienne profonde du *Buffyverse*, sauf si l'on suppose que les démons se matérialisent partout dans l'univers, et que c'est seulement un effet de loupe qui nous donne l'impression qu'ils ne viennent que sur notre planète.

Mais venons-en à l'aspect principal de l'argument de non-vraisemblance, à savoir la façon dont la figure du robot est traitée dans *Buffy*. La première fois qu'un robot humanoïde apparaît, c'est avec le personnage de Ted qui séduit la mère de Buffy (« Ted », 211), et dès cet épisode se pose une série de problèmes importants au regard du réalisme science-fictionnel : est-il vraisemblable de supposer qu'un homme, aussi génial soit-il, parvienne tout seul, et dans le plus grand secret, à fabriquer une copie robotique de lui-même ? À supposer que cette première chose soit possible, est-il vraisemblable que des institutions publiques ou privées ne parviennent pas elles aussi dans la même période au même genre de résultat, et que la société tout entière ne soit pas du coup révolutionnée par l'existence de tels robots ?

Les critiques de science-fiction distinguent souvent deux types de SF, selon la façon qu'elle a d'utiliser les machines : une SF qui irait au bout d'elle-même, représentée par H.G. Wells, qui examine comment la machine féconde en quelque sorte la société ; et une SF qu'on pourrait dire *interrupta*, représentée par Jules Verne, qui se débrouille pour détruire les machines avant qu'elles aient pu avoir quelque conséquence sociétale, au-delà de l'aventure ponctuelle racontée. Buffy se placerait alors de ce point de vue plutôt du côté de Verne que de celui de Wells.

Mon travail de recherche consiste en général à évaluer l'intérêt philosophique des œuvres de science-fiction qui proposent des spéculations vraisemblables à la fois sur le plan du développement technologique et de ses enjeux philosophiques[11]. De toute évidence *Buffy* n'entre pas dans ce domaine d'investigation du fait de l'invraisemblance conséquentialiste en termes de technologie notée plus haut, et plus fondamentalement de la position, typique du fantastique ou de la *fantasy*, d'entités qui n'existent pas en réalité (vampires, etc.) ou sont d'ordre métaphysique (l'âme, les dimensions démoniaques, etc.) : bref le *Buffyverse* n'est pas *réeliste* et une analyse philosophique de type prospectiviste ne peut donc être conduite sur lui.

LE PROCÉDÉ DU PARALLÈLE AVEC DES PHILOSOPHIES PRÉEXISTANTES – L'EXEMPLE DE *BUFFY AND PHILOSOPHY*

Cela veut-il alors dire que l'on ne peut pas philosopher avec *Buffy* ? Évidemment non, et une voie possible consiste à identifier dans la série, comme sans doute dans n'importe quelle fiction, des éléments qui rappellent telle ou telle doctrine préexistante et justifient une mise en parallèle, éventuellement fondée sur une métaphorisation préalable. Le problème cependant, si l'on accepte ce principe « paralléliste », est qu'il autorise *a priori* les interprétations les plus contradictoires, pourvu que la fiction de départ, et c'est le cas du *Buffyverse*, soit assez complexe. On se retrouve alors vis-à-vis de *Buffy* dans une situation identique à celle du monde réel :

d'innombrables interprétations en sont proposées, phénomène de polysémie de l'œuvre-univers qui fait les délices des fans et des universitaires, et que l'on peut justement vérifier dans le recueil précurseur de 2003 intitulé *Buffy and Philosophy*[12]. Ainsi, dès le premier article de cet ouvrage, Greg Forster[13] défend la thèse que l'éthique de *Buffy,* telle qu'il la décrypte dans le parcours de Faith, est en réalité platonicienne. Le deuxième article, écrit par Karl Schudt[14] et qui porte aussi sur Faith, abonde dans le même sens en défendant l'idée que le visionnage de *Buffy* peut constituer une stratégie de réponse à la dissolution nietzschéenne de la morale, accomplissant ainsi ce que la raison seule ne peut réaliser, à savoir « persuader » par la communion empathique induite par la fiction. Dans le troisième article[15], Jessica Prata Miller montre comment Buffy, qui se conforme selon elle à une éthique comparable à l'*ethics of care* développée par Carol Gilligan[16], fournit même le moyen de répondre à certaines objections soulevées contre cette éthique.

S'il ne s'agit pas ici de faire la revue détaillée de l'ensemble des articles du recueil, il est intéressant de constater que la démarche suivie par la totalité d'entre eux consiste bien à prendre une doctrine et à interroger ou affirmer la correspondance entre cette théorie et les valeurs identifiables de la série, produisant l'effet « chaotico-relativiste » redouté plus tôt : *Buffy* apparaît alors non seulement comme une série platonicienne, antinietzschéenne, féministe, *noire*, mais aussi pluraliste, pragmatiste, kantienne et postmoderne[17]. Buffy est encore enrôlée dans le bataillon des éthiques de la vertu[18], et sa vie sentimentale compliquée utilisée comme clé pour résoudre le paradoxe aristotélicien de l'amour[19]. Sur un plan plus politique, sont successivement examinées les dimensions supposément fasciste[20], utilitariste[21], conservatrice, marxiste et libérale[22] de la série.

Si l'on souhaite alors classer les différentes façons dont ces articles philosophent avec *Buffy*, on peut distinguer trois types de démarches, ou plutôt trois niveaux d'approfondissement d'une seule et même démarche. Alors que certains articles se contentent pour l'essentiel de la seule procédure de mise en parallèle, d'autres font un pas de plus et utilisent la série comme une source d'arguments nouveaux dans le cadre de tel ou tel débat philosophique (*cf.* l'article de Jessica Prata Miller déjà mentionné). Menant alors au bout la prise au sérieux de l'effectivité philosophique de la fiction, quelques auteurs développent l'idée que *Buffy*, pour la raison même qu'elle est une fiction, constitue une source possible de réflexion philosophique spécifique en interaction avec la philosophie traditionnelle (articles de Karl Schudt et de Carolyn Korsmeyer[23]) ou plus classiquement de réforme de nos représentations collectives (article de Mimi Marinucci).

LA CENTRALITÉ DE LA QUESTION ÉTHIQUE DANS LE RECUEIL

Quoi qu'il en soit, il est frappant de constater, alors que ce n'est pas forcément évident à la seule lecture de la table des matières, qu'en réalité la totalité des articles traitent de questions éthiques, au moins en partie, et souvent totalement – la seule exception étant le très intéressant article d'Andrew Aberdein, tourné à peu près exclusivement vers l'épistémologie[24]. Cette domination de la question éthique n'étonnera pas le lecteur de

Paul Ricœur, qui indiquait dans *Soi-même comme un autre* qu'« il n'est pas de récit éthiquement neutre. La littérature [qu'on peut étendre ici à « la fiction », y compris cinéma et séries] est un vaste laboratoire où sont essayés des estimations, des évaluations, des jugements d'approbation et de condamnation par quoi la narrativité sert de propédeutique à l'éthique[25] ». Cette idée, dans son principe général, est elle-même formulée à plusieurs reprises dans le recueil, par exemple sous la plume de Richard Greene et Wayne Yuen lorsqu'ils soulignent qu'« à travers la représentation allégorique de situations éthiques », la série « reflète la complexité du monde moral dans lequel nous vivons[26] ».

La centralité du questionnement éthique au sein de l'investigation philosophique de *Buffy* s'explique en fait très bien : tout d'abord par la centralité du thème dans la série ; ensuite, par le fait, si l'on suit Ricœur, que ce questionnement éthique est constitutif de l'essence même de la fiction ; enfin, par la nécessité qui s'impose spontanément, quand on veut philosopher avec une fiction, d'examiner ce qui dans celle-ci nous parle du réel. Dans le cas de *Buffy*, série « fantastique », ce sera naturellement plus l'éthique que l'épistémologie, réduite à la portion congrue, ou la métaphysique, aussi développée soit-elle, comme le soulignent plusieurs auteurs du recueil. Je souhaite cependant montrer pour finir qu'une troisième démarche philosophique peut encore être menée, ni prospectiviste, ni paralléliste, purement gratuite, mais peut-être alors fondamentale, dans le sens où nous n'espérons *a priori* rien en tirer pour notre connaissance du monde réel ou notre interaction avec lui.

LA QUESTION MÉTAPHYSIQUE DES DIMENSIONS INFERNALES
DU *BUFFYVERSE*

Un thème en effet qui n'est quasiment jamais abordé dans le recueil concerne la façon dont est mise en œuvre la question des dimensions parallèles, qui constitue une reconfiguration d'un *topos* cher à la science-fiction, à côté des cercles de la *Divine Comédie* de Dante Alighieri. On peut alors considérer, selon la méthode évoquée précédemment, que ce thème vaut surtout comme signe d'autre chose, ainsi que Marika Moisseeff en donne l'exemple depuis l'anthropologie[27], ou James Lawler qui développe dans *Buffy and Philosophy*[28] l'analogie avec la célèbre caverne de Platon[29] et avec la cosmologie de Kant dans *Histoire générale de la nature et théorie du ciel*[30]. Mais l'on peut aussi se contenter de prendre ce que la série dit au premier degré et s'efforcer d'en comprendre le contenu.

POUR UNE EXPLORATION PHILOSOPHIQUE FONDAMENTALE
ET DÉSINTÉRESSÉE DES MONDES FICTIONNELS

Il ne faudrait pas pour autant en inférer que cette éventuelle exploration pour eux-mêmes des mondes fictionnels concerne uniquement ce genre de questions métaphysiques, car l'on pourrait administrer une preuve comparable au sujet de l'éthique. Prenons par exemple la proposition de Jason Kawal dans « Should We Do What Buffy Would Do ?[31] » (littéralement : « Devrions-nous faire ce que ferait Buffy ? »), qui suggère de modifier sa question en une plus réeliste, « Que devrions-*nous* faire, selon Buffy ? » (« What would Buffy think *we* should do ? »).

Pourquoi ne pas aussi examiner gratuitement, c'est-à-dire sans se préoccuper d'en inférer aucune règle d'action nous concernant, ce que Buffy ferait effectivement à *notre* place ?

Si l'on tient malgré tout à légitimer une telle entreprise d'exploration désintéressée des univers fictionnels, en la rendant conforme au but de la recherche philosophique qui reste bon an mal an de produire une *connaissance*, on peut défendre l'idée qu'explorer le *Buffyverse* et n'importe quel univers fictionnel comporte en soi une valeur cognitive autosuffisante, en admettant par exemple que les mondes fictionnels sont comme les fenêtres, et les seules dont nous disposerons jamais, pour *connaître* au sens le plus fort du terme les autres mondes possibles, surtout si on leur accorde comme le fait par exemple David Lewis dans *De la pluralité des mondes*[32] une réalité aussi solide qu'au nôtre – *effet de fenêtre* d'autant plus convaincant qu'il est inscrit pour les séries dans la matérialité même du poste de télévision.

Je suis partie de la question de savoir quelles étaient les voies qui s'offraient à nous pour philosopher avec les séries télévisées, dans l'idée que la série *Buffy the Vampire Slayer* et les études philosophiques déjà menées sur elle pourraient servir de pierre de touche à cette investigation. Or une fois montré que la démarche prospectiviste dont j'use habituellement ne peut être utilisée pour *Buffy*, j'ai examiné une seconde démarche qui consiste à mettre en évidence le parallèle entre la fiction étudiée et telle ou telle doctrine philosophique établie ; *Buffy and Philosophy* contient plusieurs exemples de cette démarche, mais on la retrouve associée à d'autres œuvres, paradigmatiquement *Matrix* : on pense ici au volume *Matrix, machine philosophique* d'Alain Badiou *et al.*[33] et à de nombreux autres ouvrages parus en anglais qui s'efforcent d'établir un pont entre culture populaire et philosophie tels *The Matrix and Philosophy*, ou *Battlestar Galactica and Philosophy*[34].

Cependant, il me semble qu'une troisième démarche doit pouvoir aussi être employée, qui consiste, indépendamment de toute mise en relation avec le réel, à étudier les enjeux philosophiques propres au monde fictionnel considéré. Cette dernière démarche occupe une position tout à fait paradoxale dans la mesure où elle est sous-représentée dans les analyses académiques, alors qu'elle correspond à la démarche spontanée du récepteur inscrit de la fiction, et plus largement du «fan», comme en témoigne par exemple la thèse sur Spike, évoquée dans *Buffy* dans l'épisode intitulé «*Checkpoint*» (512), effectivement écrite par des fans[35] et disponible sur Internet[36], démarche plus fidèle en un sens à l'idée même de fiction, du fait de son positionnement de dialogue avec les auteurs dans la construction du monde fictionnel et la découverte du monde possible associé.

NOTES

8. Joss Whedon, *Buffy the Vampire Slayer*, WB puis UPN, 1997-2003.

9. La numérotation des épisodes, comme dans l'avant-propos, suit la convention suivante : 102 désigne l'épisode n° 2 de la saison 1.

10. Le «*Buffyverse*», c'est-à-dire l'univers de Buffy.

11. Sylvie Allouche, *Philosopher sur les possibles avec la science-fiction : l'exemple de l'homme technologiquement modifié*, thèse de philosophie, Université Paris 1 Panthéon-Sorbonne, 2012.

12. James B. South (éd.), *Buffy the Vampire Slayer and Philosophy*, Chicago & La Salle, Open Court, 2003.

13. Greg Forster, « Faith and Plato: "You're Nothing! Disgusting, Murderous Bitch! " », p. 7-19.

14. Karl Schudt, « Also Sprach Faith: The Problem of the Happy Rogue Vampire Slayer », p. 20-34.

15. Jessica Prata Miller, « "The I in Team": Buffy and Feminist Ethics », p. 35-48.

16. Carol Gilligan, *In a Different Voice: Psychological Theory and Women's Development,* Cambridge, Harvard University Press, 1982.

17. Respectivement : Jessica Prata Miller, *op. cit.* ; Mimi Marinucci, « Feminism and the Ethics of Violence: Why Buffy Kicks Ass », p. 61-75 ; Thomas Hibbs, « *Buffy the Vampire Slayer* as Feminist *Noir* », p. 49-60 ; Madeline Muntersbjorn, « Pluralism, Pragmatism, and Pals: The Slayer Subverts the Science Wars », p. 91-102 ; James Lawler, « Between Heavens and Hells: The Multidimensional Universe in Kant and *Buffy the Vampire Slayer* », p. 103-116 ; Scott R. Stroud, « A Kantian Analysis of Moral Judgment in *Buffy the Vampire Slayer* », p. 185-194 ; Toby Daspit, « Buffy Goes to College, Adam Murders to Dissect: Education and Knowledge in Postmodernity », p. 117-130.

18. Jason Kawal, « Should We Do What Buffy Would Do? », p. 149-159.

19. Melissa M. Milavec & Sharon M. Kaye, « Buffy in the Buff: A Slayer's Solution to Aristotle's Love Paradox », p. 173-184.

20. Neal King, « Brownskirts: Fascism, Christianity, and the Eternal Demon », p. 197-211.

21. Jacob M. Held, « Justifying the Means: Punishment in the Buffyverse », p. 227-238.

22. Jeffrey L. Pasley, « Old Familiar Vampires: The Politics of the Buffyverse », p. 254-267.

23. Carolyn Korsmeyer, « Passion and Action: In and Out of Control », p. 160-172.

24. Andrew Aberdein, « Balderdash and Chicanery: Science and Beyond », p. 79-90.

25. Paul Ricœur, *Soi-même comme un autre*, Paris, Seuil, 1990, p. 139.

26. Richard Greene & Wayne Yuen, « Morality on Television: The Case of Buffy the Vampire Slayer » in James B. South (éd.), *op. cit.*, p. 275 (traduction de V. Ferré).

27. «Métamorphose et rapports entre générations dans *Buffy* – une perspective anthropologique», communication présentée au colloque «Buffy, tueuse de vampires», Paris, Cité internationale, juin 2009.

28. James Lawler, *op. cit.*

29. Platon, *La République*, livre VII.

30. Emmanuel Kant, *Histoire générale de la nature et théorie du ciel* (1755), traduction coordonnée par J. Seidengardt, Paris, Vrin, 1984.

31. Jason Kawal, *op. cit.*

32. David Lewis, *On the Plurality of Worlds*, Oxford, Blackwell, 1986. Trad.fr. M. Caveribère, et J.-P. Cometti, *De la pluralité des mondes*, Paris, Tel-Aviv, Éd. de l'Éclat, 2007.

33. Alain Badiou *et alii*, *Matrix, machine philosophique*, Paris, Ellipses, 2003.

34. William Irwin (éd.), *The Matrix and Philosophy*, Chicago & La Salle, Open Court, 2002 ; Jason T. Eberl (éd.), *Battlestar Galactica and Philosophy*, Oxford, Blackwell, 2008.

35. Lydia Chalmers, *William the Bloody, a thesis submitted in partial fulfillment of the requirements for the degree of Watcher's Diploma (W.D.)*, Londres, Watcher's Academy, 1998 («fan fiction»).

36. Par exemple à cette url : http://www.teaattheford.net/conversation.php?id=844 (page consultée le 12 mai 2014).

BUFFY, CARREFOUR DANS L'ÉVOLUTION DES GENRES ET DES PRATIQUES

ANNE BESSON

Une réflexion française, encore largement inédite[37], sur *Buffy contre les vampires*, pourrait se fixer comme objectif de départ d'essayer de comprendre ce qui fait l'intérêt spécifique de cette série : exemple d'une fiction de genre et de grande diffusion *réussie* – qui dépasse (et parce qu'elle dépasse) son public *a priori*, celui des adolescents, et son mode de consommation d'origine, un flux télévisé éphémère, pour déboucher sur diverses formes d'érudition par divers groupes d'adultes cultivés, et notamment une exploitation scientifique fructueuse –, *Buffy* pourrait faire office de pierre de touche pour mettre en avant les différences et les complémentarités des approches que les savoirs académiques peuvent développer sur les fictions en général, et les séries télévisées en particulier.

En réponse à cette question commune, « Pourquoi regarde-t-on *Buffy* ? », à ce constat d'une richesse interprétative expliquant le « culte », ma contribution particulière, représentative d'une perspective compa-ratiste, relève d'une approche en termes de poétique des genres – étant posé qu'un «genre» désigne ici le rapprochement de plusieurs objets culturels qui partagent suffisamment de points communs pour être identifiés par la réception en tant qu'ensemble cohérent, dans lequel de nouvelles œuvres pourront s'inscrire en en respectant les codes tout en les renouvelant. Un tel processus d'évolution historique, rapide et constant, constitue la «vie» de genres qui ne cessent de se croiser, de s'hybrider, de se subvertir les uns les autres, tout particulièrement dans le cas des genres «populaires», directement tributaires des attentes du public et pour lesquels le travail de variations de chaque œuvre s'opère à l'intérieur de contraintes fortes.

De ce point de vue, *Buffy* présente le grand intérêt de s'imposer comme une étape majeure des reconfigurations récentes des genres de l'imaginaire (fantastique, *fantasy*, science-fiction) : un carrefour où se nouent des traditions jusqu'alors indépendantes (la série pour adolescents et la série fantastique), et où s'engendrent des courants aujourd'hui très illustrés (la jeune fille et le vampire comme duo à succès), cette position stratégique s'avérant exemplaire de la montée en puissance des fans comme prescripteurs culturels.

UNE SÉRIE PIONNIÈRE ?

Si l'on cherche comme j'ai pu le faire à rapprocher les séries et feuilletons télévisés des ensembles romanesques, cycles et séries[38], autour de la question du temps ou plus précisément de la gestion de la chronologie (dans et entre les «épisodes» successifs), on s'aperçoit tout de suite que la représentation visuelle modifie les possibilités de jeux sur la temporalité, et en particulier rend caduque une des options les plus séduisantes des ensembles romanesques, à savoir l'abolition du temps, par sa suspension dans la série, son infinitude dans le cycle : dans la série ou le feuilleton télé, le temps passe *visiblement*, en prenant la forme du vieillissement des acteurs au fil des saisons successives[39]. Mais, de la même façon que science-fiction et *fantasy* constituent les genres les plus prisés par les cycles romanesques car les plus souples quant à leur chronologie et notamment à la durée de vie de leurs personnages (longévité, immortalité, résurrection…), un des grands intérêts que présente *Buffy* va être de croiser ces mêmes motifs, véritables *topoï* du fantastique, avec une problématique bien spécifique quant au temps, celle d'un âge défini comme transitoire, l'adolescence de ses héros et de son public[40].

L'œuvre de Whedon innove dans son exploration des tourments adolescents par le prisme du fantastique : en effet, *Buffy* n'est rien moins que la première série télévisée fantastique pour adolescents – peut-être un obscur précédent m'a-t-il échappé, mais il aurait en tout état de cause bien peu marqué l'histoire et les mémoires… La série pour adolescents telle qu'on la conçoit aujourd'hui, *dramatic comedy* en long format (épisodes d'une heure), centrée sur le quotidien d'un groupe d'adolescents, le *teenage ensemble show* télévisé est réputé naître en 1990, avec *Beverly Hills 90210*. Le duo Darren Star-Aaron Spelling, en créant cette série, tire les conséquences de plusieurs succès marquants des années précédentes dans le domaine, après ceux de déjà nombreux *teen movies* : par exemple, ceux de la série policière pour (et par) des adolescents, *21 Jump Street* (Stephen J. Cannell et Patrick Hasburgh, à partir de 1987) ou de la *sitcom high school*

41

intitulée *Saved by the Bell* (*Sauvés par le gong!*, Peter Engel, à partir de 1989).

Bref, si on saute à la fin de cette décennie 90 marquée, dans le genre de la série télévisée et entre autres, par la multiplication des séries plus ou moins « réalistes » destinées à un public adolescent désormais explicitement identifié comme cible privilégiée des produits culturels de masse, et d'autre part des séries remettant au goût du jour le vieux répertoire surnaturel ou « paranormal », dans la lignée du succès des *X-Files* (à partir de 1993[41]), alors *Buffy* est bien la première, d'une courte tête devant *Charmed*[42], à réunir ces deux fils.

Cette véritable originalité n'a été que peu relevée, à juste titre en fait et pour plusieurs raisons : d'abord, *Buffy* se présente explicitement comme une série hyper-référencée, hypergénérique, qui revendique sans cesse son inscription dans des codes multiples et puissants, ceux du *teen movie* à décor *high school*, ceux du fantastique à créatures, ceux du superhéros à identité cachée[43]… Un tel mélange fonctionne intégralement sur son second degré, ses clins d'œil au spectateur, qui nous permettent de jouir du rebrassage hallucinant de tous ces motifs dans la mesure où il se présente comme ludique, ne se prenant – et donc ne devant pas être pris, au sérieux. En outre, cette distance parodique elle-même est loin de constituer une nouveauté, tant elle apparaît inhérente à la pop culture, « contractuelle » pourrait-on dire, du rapport qu'on entretient avec elle. Le fonctionnement des genres, qui partagent des contraintes nombreuses, entraîne en effet fatalement la production de clichés facilement identifiables ; ceux-ci, dès lors, sont invariablement dénoncés par des parodies internes et externes, qui ont l'intérêt bien sûr de leur permettre de perdurer en prenant acte du fait qu'ils sont risibles, que chacun s'en rend bien compte et qu'on peut donc continuer à en jouir.

Buffy n'évite pas les clichés mais en joue, car son héritage générique est déjà en bonne partie parodique. C'est bien entendu le cas du côté de la « culture ado », où on peut par exemple citer *Clueless*, film de 1995[44] qui nous permettait de rire (et donc de prendre plaisir à les suivre) des mésaventures d'une toute jeune et jolie pimbêche blonde « accro au shopping »[45]. Mais surtout, l'association entre adolescence et fantastique elle-même a presque instantanément été un objet parodique lors de son apparition au cinéma. Le point de départ de cette histoire assez pauvre est en effet cette fois assez ancien : il s'agit d'un film de 1957, *I Was a Teenage Werewolf* (American International Pictures) qui, comme souvent dans le cinéma populaire de l'époque, développe une « métaphore » tout à fait transparente[46] – le délinquant adolescent comme monstre (en l'occurrence, une sorte de « blouson noir » en teddy, plutôt séduisant), les évolutions de la jeunesse, cette inconnue, comme menace (rébellion et danses yéyé), plus un hypnotiseur dans la grande tradition du savant fou. Série B ou Z, ce film assez mal fait, à tout petit budget, en noir et blanc (bien sûr), a cependant marqué les esprits, attestant d'un seuil de tolérance élevé du public vis-à-vis du maquillage et des effets spéciaux les plus minimaux : seul un masque poilu vient défigurer l'acteur, qui continue à marcher sur ses pieds et à porter le blouson qui permet de l'identifier.

Cet aspect caricatural et conventionnel du film d'origine n'a sans doute jamais échappé à personne, d'autant qu'il fut exploité par l'AIP avec les sorties, dès l'année suivante, de *I Was a Teenage Frankenstein* et surtout de *Blood of Dracula*, qui nous intéresse davantage comme précurseur de *Buffy*. Le scénario en effet reprend et décale celui de *Teenage Werewolf*, mais en l'appliquant cette fois au cas d'une jeune fille qui pense trop à s'amuser, et dont l'initiatrice, férue de magie noire, va faire… une vampire ! Avec le décalage temporel, le visionnage au second degré devient une nécessité et cette sorte d'indulgence se mue rapidement en code référentiel. L'outrance *cheap* constitue en réalité la principale raison du petit culte dont ces films font l'objet, essentiellement traduit par un système citationnel de son titre, sur le patron « I Was a Teenage Something » : on le retrouve dans plusieurs séries Z à la fin des années 1980 et au début des années quatre-vingt-dix (*I Was a Teenage Zombie*, film de John Elias Michalakis, 1987, *I Was a Teenage Serial Killer*, court-métrage de Sarah Jacobson, 1993[47]), jusqu'à *Clueless*, pour en revenir à notre fusion des lignes de code générique, dont un titre de travail fut *I Was a Teenage Teenager* !

Le contenu diégétique du modèle avait quant à lui refait surface un peu plus tôt, dans un film dont le titre de gloire est d'avoir constitué le tout premier « premier rôle » de Michael J. Fox, juste avant *Retour vers le futur* : *Teen Wolf* de Rod Daniel, film de 1985 où la mutation, cette fois d'origine familiale, affecte un jeune homme un peu terne et vient lui apporter puissance et popularité (la fille qu'il voulait, les victoires pour son équipe de basket) – l'identité de lycanthrope est ici positivée, avec cependant un risque d'y perdre sa propre personnalité. La notoriété du film semble attestée par le développement d'une série animée du même titre en 1986-1987, puis d'une suite dirigée par Christopher Leich et centrée sur le cousin du précédent héros, *Teen Wolf too*, en 1987. On comprend par le biais d'un tel exemple à quel point *Buffy*, malgré toute l'originalité du syncrétisme qu'elle est la première à développer sous cette forme à la télévision, s'inscrit dans une sorte de miniculte marginal et distancié. D'ailleurs, très vite après *Buffy*, dans la traînée de poudre des épigones engendrés par son succès, on note, à partir de 1999 donc, un *Big Wolf on Campus* (*Le Loup-garou du campus*), série canadienne à petit budget et épisodes de 30 minutes, avec héros loup-garou, ami « goth » dans le rôle du puits de science et copine adepte du *kick boxing*, combattant vampires et autres créatures à Pleasantville, exploitant à plein les références de la culture pop[48]…

Postérité immédiate et influence à long terme

Il y a un avant et un après *Buffy*, la série constituant une étape majeure dans la diffusion d'une culture de l'imaginaire populaire auprès d'un public plus large, plus jeune, débordant un ghetto *nerd* ou *geek*. Du point de vue des genres, le succès du syncrétisme proposé par la série lance une salve de tentatives de variations sur le même patron : *Charmed*, qu'on a déjà évoquée (et qui quoi qu'on en pense est la plus réussie en termes d'audience et d'influence par la suite), est produite par Aaron Spelling, qui après *Beverly Hills* ou *Melrose Place* a senti le vent tourner du pseudo-réalisme à la néo-sorcellerie, et travaille d'ailleurs avec les mêmes actrices – juste retour des choses, Luke Perry, le beau ténébreux de *90210* ayant figuré à l'affiche de *Buffy*, le film de 1992[49], dans le rôle de Pike !

On note dans les années qui suivent immédiatement, entre 1998 et 2001, les lancements de diverses variantes, comme autant de coups de sonde testant les hybridations possibles. Reprenant à *Buffy* le mélange tonalité comique/ thèmes fantastiques, *Dead Last*, série où les membres d'un groupe de rock voient les morts et leur viennent en aide[50], annonce, en 2003, *Dead Like Me* et ses « Faucheurs »[51] ou encore, du même créateur, la plus récente *Pushing Daisies*[52], toutes victimes d'un arrêt prématuré faute d'audience. *Dark Angel*[53] adapte le personnage de la superhéroïne guerrière dissimulant ses pouvoirs et sa mission, comme Buffy mais aussi Sidney Bristow, l'héroïne d'*Alias*, une série qui commence par s'inscrire dans le genre « espionnage » avant de glisser du côté du fantastique[54]. Enfin, au plus proche du « modèle déposé », un ensemble de séries permet de retrouver les amours de héros adolescents, contrariées par les exigences de leur identité surhumaine – ne manque que l'humour, ce qui n'est pas rien : *Roswell* et ses jolis extraterrestres[55], *Smallville*, sur l'adolescence de Superman et consorts[56], ou plus récemment *The Vampire Diaries*[57], qui s'inscrit dans une veine dont nous traiterons plus loin, celle des *Twilight* de Stephenie Meyer.

La très grande proximité entre les univers « récit d'adolescence » et « série fantastique », qui découle clairement de cet ensemble de productions cherchant, en vain d'ailleurs, à reproduire le succès de *Buffy*, se traduit aussi clairement dans certains parcours de créateurs, scénaristes et/ou producteurs exécutifs, comme Jason Katims qui était à l'origine de *My So-Called Life* (*Angela, 15 ans*)[58], et qui lance ensuite *Roswell*; Kevin Williamson, scénariste de *Scream* et *I know what you did last summer* est le créateur de *Dawson's Creek* (1998)[59] et, dix ans plus tard, retrouve le fantastique avec *The Vampire Diaries*; même le grand J.J. Abrams, avant *Alias*, mais aussi *Lost* et *Fringe* (et désormais au cinéma *Mission impossible, Star Trek...*), s'était fait les dents sur un parcours de post-adolescente pas franchement bouleversant d'originalité, la série *Felicity* (1998)[60].

Les succès les plus notables des séries télévisées pour adolescents ces dernières années étant davantage les héritiers de *Dawson*, pour le pseudo-réalisme géographico-psychologique[61], ou encore plus de *Beverly Hills*, pour la plongée chez les hyper-privilégiés, que ce soit avec *The O.C.* (*Newport Beach*, 2003[62]) ou *Gossip Girl* bien sûr (après 2007), il convient d'élargir le champ médiatique pour étayer le constat selon lequel le modèle de *Buffy* est aujourd'hui extrêmement cité et revendiqué.

En effet, si tel est donc assez peu le cas à la télévision[63], en revanche la série a exercé une influence directe sur le développement d'un sous-genre populaire *littéraire* à l'origine, récemment identifié en raison de la multiplication de ses occurrences et de ses dérivés médiatiques : la *bit lit*[64]. Ce nom judicieusement choisi, qui fonctionne à la façon d'un label, fait d'abord référence au genre repris et au public visé : ceux de la *chick lit*, la « littérature pour poulettes », genre anglo-américain très développé, post-*Bridget Jones*[65], *Sex and the city*[66] et autres *Accro du shopping*[67]. Une héroïne urbaine contemporaine, en général célibataire et trentenaire, ou alors adolescente, en fonction du segment de marché, un gros budget chaussures et un prince charmant *new look* en constituent les principaux ingrédients. La « *bit lit* » s'appuiera donc sur ce même fond, en y ajoutant le côté « mordant » (*to bite*) : autrement dit, l'héroïne et/ou le prince charmant y seront dotés de crocs et de pieux, au choix vampires, loups-garous et autres hybrides, ou dans le camp opposé, chasseurs solitaires, membres de différentes castes chargés de les protéger, de les éliminer…

Ce « cocktail » existe en diverses variantes, pour femmes ou pour adolescentes, plus ou moins dosées en sentiment, en sexe ou en parodie. Une part importante se rattache directement au genre « roman sentimental », tout à fait reconnaissable sous ses nouveaux oripeaux fantastiques. La célèbre maison d'édition canadienne Harlequin publie ainsi de gros romans de « *fantasy* romantique » dans la collection « Luna », qui connaît un fort développement, ce modèle ayant d'ailleurs incité Bragelonne, leader de la *fantasy* en France, à positionner une partie de sa collection Poche « Milady » sur ce créneau.

Mais c'est bien sûr l'énorme succès remporté par *La Saga du désir interdit* de Stephenie Meyer[68], à destination des adolescentes, qui a le plus fortement contribué à la visibilité du sous-genre. La tétralogie racontant les amours de Bella et Edward récupère, pour les transformer en « phénomènes » de consommation, plusieurs tendances préexistantes : d'une part la vieille séduction du vampire comme métaphore des ambivalences du désir sexuel, un de ses traits définitoires au moins depuis son entrée en littérature chez Bram Stoker, nettement accentué par ses déclinaisons féminines à succès (Anne Rice essentiellement, Poppy Z. Brite…[69]) ; d'autre part, venant l'appuyer, la nouvelle *doxa* de la littérature jeunesse consistant depuis plusieurs décennies à réhabiliter les méchants, au point que loups, monstres et vampires[70] figurent aujourd'hui parmi les héros les *plus* représentés, en une inversion complète du *topos* de départ.

Là encore, on peut estimer que le duo Buffy-Angel a joué un rôle majeur pour imposer dans la culture pop adolescente cette variante des amants maudits représentée par l'irrésistible attirance entre la vierge chasseresse et le monstre en quête de rédemption, quintessence d'altérité désirable. En général, dans ce type d'exploitation du schéma, parce qu'il faut bien qu'il reste des *bad guys* et des obstacles, sociaux ou raciaux, à l'épanouissement du couple, on note une réintroduction des frontières morales sous la forme d'une opposition entre de « bons » et de « mauvais » vampires : c'est bien entendu le cas chez Meyer, où la famille Cullen constitue une exception, comme dans un de ses antécédents les plus directs, *Journal d'un vampire* de L.J. Smith[71], où l'hyperséduisant Stefan qui a avoué à Elena, la reine du lycée, son identité de vampire, est bien entendu innocent des meurtres qui ravagent la région et qui sont en réalité le fait de son double noir Damon, quant à lui cruel et (littéralement) assoiffé de sang.

À titre d'exemple d'une typologie et d'une onomastique répandues, on peut encore citer le cycle *Vampire Academy* de Richelle Mead, qui distingue les « dhampirs » (hybrides humains, bons), les « moroï » (bons vampires, mortels) et les « strigoï » (méchants, immortels : les vampires « classiques »)[72].

Deuxième grande famille de la *bit lit*, qui s'inspire de *Buffy* cette fois pour son jeu distancié sur les mélanges référentiels : les romans de genre humoristiques, comme ceux de Laurell K. Hamilton dont la série des Anita Blake, nécromancienne et chasseuse de vampires, remonte à 1993[73], ceux de Patricia Briggs pour les Mercy Thompson, Indienne « changeforme » élevée par des loups-garous[74], ceux de Richelle Mead avec sa série pour adultes consacrée à Georgiana Kincaid, libraire à Seattle mais aussi succube, que sa nature, on s'en doute, handicape dans ses relations amoureuses[75]. Ces titres, sélectionnés parmi une offre très vaste, travaillent à la façon de *Buffy* sur les étincelles amusantes qui naissent de la conflagration entre les thèmes et personnages fantastiques et les codes issus de genres « réalistes », comme le thriller ou le roman sentimental (parodique cette fois).

Ce travail ludique est encore plus affiché dans une série comme *Vamp in love* de Kimberly Raye (*Dead End Dating*) publiée au Fleuve Noir depuis 2009 avec pour slogan en couverture « Trouvez l'âme sœur pour l'éternité » et pour titres de volumes une déclinaison en « saison 1 », « saison 2 »[76]... La narratrice, vampire romantique accro au shopping (où l'on retrouve quelques codes déjà mentionnés), a eu, pour citer la quatrième de couverture, « l'idée de lancer une agence de rencontres ; bon moyen de joindre l'utile (combler un gouffre financier d'acheteuse compulsive) à l'agréable (permettre à des humains, vampires et garous esseulés de trouver l'âme sœur) ». Même principe pour *La mode est au rouge sang*, de Valerie Stivers (*Blood is the New Black*[77]), qui décalque *Le Diable s'habille en Prada*[78] et *Ugly Betty*[79] en posant que les dirigeants du magazine de mode qui fait et défait les réputations – « d'une minceur vertigineuse et d'une pâleur mortellement chic » – sont des vampires.

On relève au passage à quel point ce syncrétisme opérant par greffe de codes est non seulement multi-générique mais aussi plurimédiatique (film, roman, série télévisée, *comics*), les succès audiovisuels étant novellisés et/ou adaptés de romans préalables. Dernier exemple dans ce sens, la série de romans pour adolescentes de Melissa de la Cruz, *Les Vampires de Manhattan*, qui concrétise la métaphore des « sangs bleus » (le titre original est *Blue Bloods*[80]), est vendue comme un « Gossip Girl fantastique », tirant parti d'une convergence efficace, dans le registre « désirable/inaccessible », entre nos amis les vampires et les jeunes snobs décadents et désabusés, si malheureux au fond d'être revenus de tout !

BUFFY DANS L'HISTOIRE DU FANDOM

En guise de conclusion, quelques mots sur le rôle de *Buffy* dans l'histoire des fans et l'évolution de leur perception. Sur ce point, la série de Whedon a tiré parti d'une coïncidence temporelle remarquable : elle est en effet diffusée dans les mêmes années qui voient la diffusion ultrarapide de l'Internet à haut débit et correspondent donc à la promotion tout aussi rapide des activités faniques (communication, érudition, création), qui accèdent soudain à une visibilité technique et sociale qui les sort du ghetto où elles existaient depuis les années soixante. En outre et plus spécifiquement, *Buffy*, en mariant deux types de codes génériques, a attiré deux publics de fans bien différents et *a priori* peu susceptibles de se rejoindre sur un même objet de passion. On a vu que les ingrédients clés de la série reprennent des éléments appartenant en amont à ce qui constituait jusque-là une subculture fanique (les cimetières nocturnes des séries Z) : elle attire ainsi le *fandom* traditionnel, qui y reconnaît ses passions et voue depuis une reconnaissance éternelle à Joss Whedon pour lui avoir permis d'en goûter une exploitation exceptionnelle, tant dans sa durée que dans sa qualité.

Mais le succès qui a permis cette durée est celui des premières saisons de *Buffy*, remporté auprès d'un autre public, celui de la petite blonde écervelée au *look* improbable et de la carrure de David Boreanaz (dont on reconnaît depuis les traits chez tous les vampires sexy) – avant le virage vers la noirceur, avant Spike, le préféré des fans du premier type, mais pas de ce second type de fans, où chacun aura reconnu les principales consommatrices du roman vampirique : les adolescentes. Elles ont aimé *Buffy* et puis elles ont grandi, elles sont passées à autre chose, mais elles ont été remplacées, année après année, par leurs clones nourries désormais aux mêmes références ; aujourd'hui, elles adulent Edward Cullen sous les traits de Robert Pattinson (*Twilight*), les frères ennemis Stefan et Damon Salvatore (dans la série *The Vampire Diaries*) ; elles qui ont toujours été les plus grosses lectrices sont l'objet d'un marketing spécifique des maisons d'édition qui cherchent à récupérer en outil promotionnel les pratiques faniques telles que *fanfictions* et rédactions de blogs[81].

Les universitaires qui avouent aujourd'hui s'intéresser à *Buffy* reconnaissent que cette série a fait d'eux des « fans du premier type », ou du moins les a amenés à découvrir avec fascination cet univers-là[82] ; mais ça n'est pas ce que l'histoire de la culture populaire en a d'abord retenu. Ainsi, le succès de la série n'a pas véritablement profité à Joss Whedon, en dépit du soutien farouche des fans « traditionnels », dont on constate qu'ils ne sont pas assez puissants à eux seuls pour assurer la viabilité des autres projets de leur créateur favori[83].

Ce que *Buffy* a véritablement mis en lumière, c'est une tendance aujourd'hui généralisée au syncrétisme des codes de genre, et surtout l'existence d'un « segment porteur », celui des adolescentes et des femmes sensibles aux séductions du fantastique : autant d'extensions qu'il faut faire remonter au moins à *Buffy*, mais qui en nient pour l'essentiel les avancées. Si une telle tendance est caractéristique de l'épigonat, précisément *Buffy* avait pour intérêt de toucher au-delà de ce public. Sans doute d'ailleurs ne le touchait-elle si durablement que parce que chacun pouvait, à sa mesure, en percevoir la profondeur.

NOTES

37. Situation en fort contraste avec l'aire anglophone, où les *cultural* et *gender studies* se sont saisies de la série avec enthousiasme, au point que le champ apparaît aujourd'hui presque trop frayé.

38. Anne Besson, *D'Asimov à Tolkien, cycles et séries dans la littérature de genre*, Paris, Éd. CNRS, coll. « Littérature », 2004.

39. Voir mon article « Les formes à épisodes, des structures multi-médiatiques », article paru dans *Belphégor* n° 2 (mai 2002) ; revue en ligne internationale, arbitrée par comité de lecture (www.dal.ca/~etc/belphegor).

40. C'était l'objet d'un article rédigé en 2002, alors que la série était encore en cours de diffusion, « Les nouveaux immortels : les séries télévisées fantastiques contemporaines et le public adolescent », in *Le Fantastique contemporain, Cahiers du GERF* n° 24 (second semestre 2003), publication du Centre de recherche sur le fantastique, Université Stendhal-Grenoble III, p. 17-34.

41. *X-Files (Aux frontières du réel)*, série créée par Chris Carter ; production Ten Thirteen et 20th Century Fox Television ; première diffusion sur Fox de 1993 à 2002, et en France sur M6.

42. mars 1997 contre octobre 1998 pour *Charmed*, série créée par Constance M. Burge, production Aaron Spelling, Constance M. Burge, Brad Kern et E. Duke Vincent, huit saisons diffusées sur WB (1998-2006), et en France sur M6.

43. Voir dans ce volume l'article de Tristan Garcia.

44. Le film, écrit et dirigé par Amy Heckerling, a entraîné la création d'une série télévisée de trois saisons (1996-1998).

45. « L'accro au shopping » est l'héroïne d'une série d'ouvrages de Sophie Kinsella, débutée en 2002 avec *Confessions of a Shopaholic*. Une adaptation cinématographique de ce titre-phare de la *chick lit*,

signée P.J. Hogan, est sortie en 2009. Nous en reparlerons plus loin.

46. La piste est parfaitement approfondie dans l'article de Marika Moisseeff, « Le loup-garou ou la virtualité régressive du pubertaire masculin », *Adolescence*, vol. 22, n° 1, 2004, p. 155-171 (republié en 2005 dans le fanzine *Dragon & Microchips*, n° 22, p. 7-15).

47. Ou encore *I Was a Teenage Mummy*, titre d'un album du groupe de *garage rock* A-Bones, en 1992. Clins d'œil à l'attention d'un public bien spécifique susceptible de les reconnaître, ces titres offrent en outre des variantes sur les créatures les plus typiques du fantastique *pulp*.

48. Série créée par Chris Briggs et Peter Knight, trois saisons diffusées sur ABC Family (1999-2002), et en France sur France 2.

49. Film de Fran Rubel Kuzui, scénario Joss Whedon, 20th Century Fox.

50. *Dead Last*, série créée par D.V. de Vincentis, une saison de 13 épisodes diffusée sur WB en 2001, en France sur MCM.

51. *Dead Like Me*, série créée par Bryan Fuller, deux saisons diffusées en 2003-2004 sur Showtime, en France sur Canal Jimmy.

52. Bryan Fuller, deux saisons sur ABC, 2007-2009, en France sur Canal+.

53. *Dark Angel*, série créée par James Cameron et Charles H. Eglee, production 20th Century Fox et Cameron/Eglee Productions, deux saisons diffusées sur Fox Network, 2000-2002, et en France sur M6.

54. *Alias*, série créée par J.J. Abrams et John Eisendrah, production Sisyphus Prod. et Touchstone Television, cinq saisons diffusées sur ABC, 2001-2006, et en France sur Téva, puis M6.

55. *Roswell*, développée par Jason Katims à partir de la série romanesque *Roswell Hight* de Melinda Metz, produite par Jonathan Frakes, production 20th Century Fox, Regency et Jason Katims Prod., trois saisons diffusées sur WB de 1999 à 2001, sur UPN en 2001-2002 ; diffusion en France sur M6.

56. Gros succès, la série créée par Alfred Gough et Miles Millar, débutée en 2001, est toujours en cours pour sa dixième saison en 2010-2011 au moment d'écrire ces lignes (diffusion WB puis CW Network).

57. Créée par Kevin Williamson et Julie Plec, deux saisons, en cours, diffusées à partir de 2009 sur CW, et en France à partir de 2010 sur Canal+ Family.

58. *My So-Called Life* (*Angela, 15 ans*), série créée par Winnie Holzman, production Marshall Herkovitz, Ed Swick et Jason Katims, diffusion sur ABC en 1994-1995, et en France sur France 2 ; 19 épisodes (une saison inachevée).

59. *Dawson's Creek* (*Dawson*), série créée par Kevin Williamson, production Paul Stupin, Charles Rosin, Deborah Joy Levine pour Outerbank Enterprises, Columbia Pictures Television et Granville Prod. ; quatre saisons diffusées sur WB de 1998 à 2002, et en France sur TF1. Kevin Williamson est par ailleurs le scénariste des films *Scream* (réalisé par Wes Craven, 1996, Miramax) et *I know what you did last summer* (*Souviens-toi, l'été dernier*, réalisé par Jim Gillepsie, 1997, Columbia Tristar).

60. *Felicity*, série créée par Jeffrey et Tracy Abrams, production Imagine Television et Touchstone Television, quatre saisons diffusées sur WB de 1998 à 2002, et en France sur TF1.

61. *One Tree hill*, série créée en 2003 par Mark Schwahn, WB puis CW, huitième saison en cours ; en France *Les Frères Scott* sur TF1. *Supernatural* en présente une sorte d'équivalent « paranormal » : série créée par Eric Kripke en 2004, sixième saison en cours, WB/CW.

62. Quatre saisons, 2003-2007, sur Fox, et en France sur TF1. Josh Schwartz est également, avec Stephanie Savage, le créateur de *Gossip Girl*, série inspirée des livres de Cecily von Ziegesar (diffusée depuis septembre 2007 sur CW).

63. Par exemple, il en est étonnamment peu question autour de *True Blood* (2008, quatrième saison en cours sur HBO, diffusion française sur Canal+), dont le créateur Alan Ball, favorablement connu pour *Six Feet Under*, ne revendique manifestement pas cette influence pour sa propre « série sur les vampires ».

64. Sophie Dabat a consacré un premier ouvrage au genre en 2010 : *Bit-lit ! L'amour des vampires*, Lyon, Les Moutons électriques, coll. « La Bibliothèque des Miroirs ».

65. *Bridget Jones's Diary* (*Le Journal de Bridget Jones*) et *Bridget Jones, the Edge of Reason* (*Bridget Jones, l'âge de raison*), deux romans d'Helen Fielding (1996 et 1999), adaptés au cinéma en 2001 (film de Sharon Aguire) et 2004 (film de Beeban Kidron), prod. Working Title.

66. Recueil des chroniques de Candace Bushnell, Warner Books, 1997 ; série télévisée créée par Darren Star, producteur exécutif Michael Patrick King, six saisons diffusées sur HBO, 1998-2004 (et en France

sur M6); films de Michael Patrick King, 2008 et 2010, HBO Films, New Line, WB.

67. Voir note 45.

68. Tel est le croustillant titre français de l'ensemble de la tétralogie constituée dans l'édition originale (Little Brown) de *Twilight* (2005), *New Moon* (2006), *Eclipse* (2007) et *Breaking Dawn* (2008); traductions chez Hachette Jeunesse «Black Moon», *Fascination, Tentation, Hésitation, Révélation*.

69. Voir par exemple les articles de Daniela Soloviova-Horville («Anne Rice, le vampire entre modernisme et tradition», p. 35-44), Jean Marigny («Les vampires au tournant du xxiᵉ siècle», p. 67-78) ou Jérôme Elias («Les nouveaux vampires», p. 313-325), in *Le Fantastique contemporain, Cahiers du GERF* n° 24, *op. cit.*

70. Voir par exemple l'article de Liliane Cheilan, «Le vampire, un miroir pour l'adolescent dans la littérature de jeunesse», in *Devenir adulte et rester enfant? Relire les productions pour la jeunesse*, Isabelle Cani, Nelly Chabrol Gagne et Catherine d'Humières (éd.), Clermont-Ferrand, PU Blaise Pascal, coll. «Littératures», 2008, p. 227-237.

71. *The Vampire Diaries* est une série de cinq romans passée relativement inaperçue lors de sa première parution en 1991-1992; suite au succès des *Twilight*, ils ont été réédités, aux États-Unis et en France (Hachette Jeunesse «Black Moon», comme les Meyer), à partir de 2008, avant d'être adaptés sous forme de série télévisée pour adolescents (voir note 57).

72. Le cycle *Vampire Academy*, qui ajoute une touche de *Harry Potter* puisqu'il se déroule dans une école de magie, l'académie Saint-Vladimir, doit comporter six volumes pour la première série; cinq sont pour le moment parus (Razorbill, Penguin), et un traduit: 1. *Vampire Academy*, 2007, trad. Karen Degrave, *Vampire Academy, Sœurs de sang*, Paris, Castelmore (Bragelonne), 2010, 2. *Frosbite*, 2008, 3. *Shadow Kiss*, 2008, 4. *Blood Promise*, 2009, 5. *Spirit Bound*, 2010, 6. À paraître, *Last Sacrifice*.

73. La série, débutée avec *Guilty Pleasures*, comporte 19 volumes parus chez Berkley, dont 12 traduits (Fleuve Noir, puis Bragelonne «Milady» qui les réédite depuis 2009), qui présentent un type d'univers fictionnel comparable à celui de *Buffy*, perméable aux créatures fantastiques. Les romans de Laurell K. Hamilton précèdent la série de Whedon et en constituent sans doute une influence majeure.

74. Six volumes annoncés, cinq parus chez Ace Books depuis 2006 (*Moon called*), et en France chez Milady depuis 2008. Sous diverses variantes, le lien entre totémisme amérindien, lycanthropie et métamorphisme est présent également dans *Twilight* et dans *True Blood*.

75. Six tomes parus chez Kensington à partir de 2008, chez Bragelonne depuis 2009 : *Succubus Blues*, *Succubus on top* (trad. *Succubus Nights !*), *Succubus Dreams*, *Succubus Heat*, *Succubus Shadows*, *Succubus Revealed*.

76. Les cinq volumes que comporte pour le moment la version originale (Random House) jouent quant à eux sur de savoureux jeux de mots mélangeant les codes : après *Dead End Dating*, 2006, *Dead and Dateless*, 2007, *Your Coffin or Mine ?*, 2007, *Just One Bite*, 2008 et *Sucker for Love*, 2009.

77. Broadway, 2007, Fleuve Noir, 2009.

78. Roman de *chick lit* par Lauren Weisberger, Broadway Books, 2003 ; film de David Frenkel, 2006, 20th Century Fox.

79. Série télévisée ayant également pour cadre principal les coulisses d'un magazine de mode féminin, créée par Fernando Gaitan et Silvio Horta, quatre saisons diffusées sur ABC, 2006-2010, et en France sur TF1.

80. Cinq volumes chez Hyperion Books depuis 2006.

81. Ainsi, pour la collection «Black Moon» d'Hachette, le site communautaire «Lecture academy, le site des mordus de lecture» (http://www.lecture-academy.com), qui renvoie également aux collections voisines «Planète Filles» ou «Fashionista»…

82. Voir par exemple les travaux de Laurel Bowman, spécialiste américain des mythes gréco-romains quand il en piste la trace dans *Buffy* : http://web.uvic.ca/~lbowman/buffy/buffythehero.html

83. Les séries *Firefly*, arrêtée en cours de première saison (2002, Fox), *Dollhouse*, expédiée après deux saisons (2008-2009, Fox)…

BUFFY :

UN FAIT ADOLESCENT TOTAL

TRISTAN GARCIA

Au contraire de beaucoup de personnes de ma génération, je n'ai appris à apprécier *Buffy* qu'après l'adolescence ; c'est par l'intermédiaire de certaines de ses descendantes directes à la télévision, Sydney Bristow d'*Alias* ou Veronica Mars, autres adolescentes au double jeu, que j'ai compris son importance et mesuré les dimensions prises par le *Buffyverse*.

Il semble que – comme cela avait été aussi le cas pour *Le Seigneur des Anneaux*, pour *Star Wars*, comme cela a ensuite été le cas pour *Harry Potter* et peut-être pour *Lost* – ce ne soit pas seulement la qualité intrinsèque de la série, mais aussi sa capacité à devenir un « univers de référence » qui la distingue d'autres séries d'œuvres aussi belles, aussi fortes – mais qui ne constituent pas une même totalité.

Mais qu'est-ce au juste qu'un tel « univers de référence » ? Toute œuvre réussie contient en elle la possibilité d'être un monde ; pourquoi certaines parviendraient-elles plus que d'autres, d'épisode en épisode, à transformer ce monde offert à la contemplation du spectateur en univers dans lequel des fans pourraient interagir et poursuivre leur propre vie ?

Évidemment, *Buffy* est d'abord une œuvre et la construction d'un monde.

Rhonda Wilcox, pionnière des études sur Buffy dès *Fighting the Forces*[84], défend dans le plus récent *Why Buffy Matters ?*[85], l'idée d'une égale dignité esthétique de la série télévisée et des films de cinéma ou des œuvres littéraires. Grâce à la profondeur donnée à la psychologie des personnages, aux enjeux moraux tissés saison après saison, à la puissance du symbolisme conçu par Whedon – comparé à Shakespeare, Dickens ou même Virgile –, *Buffy* serait l'emblème de la série télévisée comme œuvre d'art.

Cette position ne suffit pas, cependant, à expliquer *Buffy*. Dans l'histoire de la série télévisée, d'autres œuvres ont émergé qui possèdent au moins autant de puissance esthétique que *Buffy* et qui constituent également un monde, des *Sopranos* à *Game of Thrones*, de *Profit* à *Breaking Bad*. Ce sont des œuvres adultes qui ont concentré autour d'elles des cercles d'amateurs passionnés et qui ont été l'occasion d'exégèses en série, mais aucune – si ce n'est *Lost* – n'a fédéré comme *Buffy* une légion de fans spontanés et en même temps d'amateurs intellectualisant leur vision, leur lecture de la série. Aucune n'a produit la quinzaine d'ouvrages universitaires existants sur *The Vampire Slayer*, relevant de la philosophie (*Fear & Trembling in Sunnydale*[86]), de la linguistique (*Slayer Slang*[87]), de la mythologie et de l'anthropologie, des *gender studies* (*Sex and the Slayer*[88]), de la sociologie de la famille (*Blood Relations*[89]), de l'éthique (*What Would Buffy Do ?*[90]) ou de l'esthétique.

De ce point de vue, *Buffy* est moins comparable à d'autres séries, créatrices de mondes télévisuels, qu'à quelques œuvres exceptionnelles littéraires, cinématographiques ou vidéo-ludiques qui ont transformé leur monde en univers social, culturel et intellectuel en extension, embrassant à peu près toutes les formes de représentation (des *comics* au rock, du jeu vidéo à la littérature) jusqu'à devenir modèle d'existence et forme de vie chez ceux qui partagent les références de son univers.

La question devient alors : comment comprendre *Buffy* sans adopter un point de vue soit trop étroit, soit trop large ? Serait trop étroit le point de vue consistant à l'envisager strictement comme une œuvre d'art ; serait trop large la démarche de celui qui considérerait la série comme prétexte à une analyse sociologisante de tout l'univers de représentations et de comportements déployé par *Buffy*, jusqu'aux *fanfictions*.

Ni simplement œuvre d'art créatrice de monde, ni simplement objet culturel devenu un univers commun, *Buffy* est un intéressant entre-deux. Et – inversement – c'est aussi par *Buffy* que nous pourrions peut-être comprendre ce qui transforme parfois pour nous un monde esthétique en univers culturel. Pour ce faire, nous proposons d'envisager Buffy comme un « fait total », c'est-à-dire comme un événement, réductible ni à une œuvre ni à un phénomène de la culture pop, qui déploie des dimensions tout à la fois esthétique, psychologique, éthique, ethnique[91], religieuse et politique. *Buffy* est un ensemble de représentations qui a permis à certains de relier toutes ces dimensions et de se construire un modèle d'univers, afin d'y vivre et d'y penser.

L'ADOLESCENCE : « *THE DARK AGE* »

Commençons par une évidence : les personnages centraux, Buffy, Willow, Alex, sont dépeints durant les trois années de *highschool* et quatre années de faculté. Le cœur temporel de la série, c'est donc l'adolescence, mais pas une jeunesse perpétuelle : une adolescence inscrite dans le changement et le passage des années[92].

Cette adolescence, la série la met en scène comme une contradiction entre différents ordres du réel. Plus exactement, la série est fondée sur un conflit permanent entre les forces de la Nature, celles de la surnature et les structures de la société (la famille, l'institution scolaire, les communautés).

Or il semble bien que ce qui détermine ce *no man's land* qu'est l'adolescence moderne, ce soit justement la contradiction entre un âge naturel et un âge civil. Si Rousseau contourne à plusieurs reprises la question dans l'*Émile*, Kant en rend compte parmi les premiers dans une petite note éclairante des *Conjectures sur le commencement de l'Histoire humaine*[93] :

L'époque de la majorité, c'est-à-dire de l'instinct aussi bien que du pouvoir de procréer, a été fixée par la nature à l'âge d'environ seize à dix-sept ans, âge auquel l'adolescent devient, dans l'état de nature brut, à proprement parler un homme ; car il a alors le pouvoir de subvenir à ses propres besoins, de procréer, et de subvenir également aux besoins de sa progéniture, ainsi qu'à ceux de sa femme. La simplicité des besoins lui rend cette tâche facile. Dans l'état civilisé, au contraire, cette tâche requiert beaucoup de moyens, tant sur le plan de l'habileté que sur celui des conditions extérieures favorables, de sorte que cette époque, au sens civil du terme, se trouve retardée en moyenne d'au moins deux ans. La nature n'a cependant pas modifié l'âge naturel de la maturité pour l'accorder avec le progrès de l'affinement de la société ; elle obéit obstinément à la loi qu'elle a instituée en vue de la conservation de l'espèce humaine en tant qu'espèce animale. Or, il en résulte un préjudice inévitable causé à la finalité naturelle par les mœurs, et réciproquement. Car l'homme naturel est déjà adulte à un âge où l'homme social (qui ne cesse pas pour autant d'être homme naturel) n'est encore qu'un adolescent, voire un enfant ; c'est ainsi, en effet, qu'on peut appeler celui qui, en raison de son âge (dans l'état civil), n'est même pas capable de subvenir à ses propres besoins, et encore moins à ceux de sa progéniture, bien qu'il ait pour lui l'appel de la nature, l'instinct et le pouvoir de procréer. Car la nature n'a certainement pas doté des créatures vivantes d'instincts et de pouvoirs pour que celles-ci les combattent et les étouffent.

On pourrait dire, en reprenant les termes kantiens du problème, que *Buffy* serait un monde fictionnel où une surnature aurait effectivement doté des créatures de « pouvoirs » afin que celles-ci défendent leurs instincts naturels et combattent leur répression par la société. Il y a dans la série de nombreux exemples de tentations surnaturelles, par lesquelles les personnages voudraient profiter du surnaturel pour assouvir immédiatement leurs instincts naturels d'adolescents : la mère d'Amy dans « The Witch » élimine les concurrentes pom-pom girls de sa *teenager* de fille ; dans « Teacher's pet », la mante religieuse joue sur la frustration des puceaux ; « Some Assembly Required » manifeste le désir de créer la femme parfaite, morceau par morceau, pour satisfaire les fantasmes de Chris et Éric quant à une « dream girl » ; dans « Bewitched, bothered and bewildered », Alex réalise le rêve de plaire à toutes les femmes grâce à un sort à l'effet inattendu… Chaque fois, la surnature est la tentation de déjouer les règles sociales qui contiennent et répriment les instincts naturels. Dès lors, *Buffy* marque l'effort pour faire revenir la surnature au service d'une vie à plusieurs, d'une vie sociale, sans en passer par la répression de la Nature, puisqu'il s'agit d'accepter ses désirs et ses pouvoirs – *mais en les maîtrisant.*

L'adolescence en tant que conflit entre « les mœurs », l'âge civil, et « la finalité naturelle », l'âge physiologique, est donc bien présente dans *Buffy*. Mais ce conflit n'est pas résolu comme il l'est dans la plupart des cultures humaines.

Traditionnellement, ce décalage se trouve comblé par des rites de passage. Dans la plupart des peuples, comme le remarque Victor Turner[94], il n'existe pas de conflit durable entre âge social et âge naturel : tout moment naturel de transformation se trouve mis en scène dans l'espace social. L'adolescence, « âge entre-deux », se réduit donc à la mise en scène d'un passage : ce n'est pas un âge en soi, mais un seuil.

Arnold van Gennep est l'auteur d'un ouvrage un peu oublié, *Les Rites de passage*[95] (1909), qui contient un modèle susceptible d'éclaircir cette idée d'« entre-deux ». Van Gennep reprend une série de termes latins afin de caractériser les rites de passage : « unde » (d'où on vient), « quo » (où l'on va), « ubi » (où l'on est), «qua» (où l'on passe). Quant au *limen*, c'est le seuil, une limite entre deux espaces, qui constitue elle-même un espace intermédiaire. Mais ce n'est pas un espace où l'on demeure, c'est un espace par lequel on passe. Van Gennep distingue trois phases dans les rituels : *préliminaire, liminaire, postliminaire.* D'abord la séparation du groupe ; puis l'efficacité du rituel à l'écart, lorsque la rive qu'on vient de quitter est encore visible et que la rive où l'on doit accoster se dessine ; enfin l'agrégation dans le groupe nouveau. Tout rite de passage permet ainsi de métaphoriser un passage temporel en un mouvement spatial.

Or, en Occident jusqu'à la fin de la Renaissance environ, comme le note Philippe Ariès[96], tant que les enfants ont été mêlés indifféremment aux adultes et non séparés par classes d'âge, l'enfant a été conçu comme un petit homme, un adulte en miniature : le seuil entre l'enfance et l'âge adulte pouvait être aisément ritualisé. Avec la scolarisation massive, tout a changé. L'enfant a été isolé avec des camarades de sa classe d'âge, à part du monde adulte du travail, de sorte que le fossé s'est creusé entre enfant et adulte ; le passage de l'un à l'autre est donc devenu plus problématique. Le seuil est devenu pour ainsi dire un «sas» ; et c'est dans ce «sas» adolescent que se joue désormais la contradiction kantienne entre la finalité naturelle et les mœurs de la société.

L'adolescence n'est plus un seuil où on ne fait que métaphoriquement passer, c'est un état : on *est* adolescent et on le reste un certain temps. Dès lors, l'adolescence se joue moins dans des rituels prédéterminés qu'à l'occasion de représentations partagées, de musiques, d'images, de récits épars dans le monde moderne, par lesquels les adolescents cherchent à comprendre ce qu'ils sont et comment ils peuvent espérer s'en sortir. En lieu et place des cérémonies, il y a un corps chaotique de représentations de l'adolescence – et des mythes à reconstruire pour permettre à l'adolescent de franchir ce qui l'éloigne du monde adulte, sans pour autant se trahir ou renoncer à la vérité de son adolescence.

Il est évident que dans *Buffy* les grands rituels anciens apparaissent incapables de rendre les adolescents à eux-mêmes; soit ils semblent ridicules, soit ils sont l'expression des forces du mal: le sacrifice à l'homme-serpent de « *Reptile Boy* », la cérémonie maléfique du maire... Ce type de rituel incarne un retour inauthentique aux puissances archaïques. À cette fausse ritualisation, par laquelle la culture des adultes tente de reprendre le contrôle de ses adolescents, Buffy oppose une *contre-culture*.

À la mesure de la faillite progressive de la ritualisation du passage entre enfance et âge adulte, parce que le temps de latence adolescent entre les deux s'étendait démesurément, des représentations nouvelles ont émergé dans la jeunesse. À partir des années cinquante, aux États-Unis, l'accès gratuit aux universités pour les enfants de soldats, le développement du phénomène de l'argent de poche, la richesse des ménages, l'allongement du temps de dépendance économique des enfants, la fin de l'apprentissage, le retardement progressif de l'âge d'entrée dans le monde du travail... tout a concouru, comme le montre Benoît Sabatier (*Nous sommes jeunes, nous sommes fiers. Histoire de la culture jeune d'Elvis à Myspace*[97]), à créer une ou plusieurs cultures adolescentes autour de la musique, des drogues, du cinéma, de la télévision et des modes vestimentaires. L'adolescence est devenue non seulement un âge intermédiaire mais aussi, faute d'une ritualisation efficace du passage de l'état d'enfant à celui d'adulte, un état en soi, autonome, un « état dans l'état » : des contre-cultures jeunes.

Notre hypothèse est que *Buffy*, quarante ans après la cristallisation de l'état adolescent moderne et sa dispersion dans un ensemble de représentations diverses, a constitué un mythe contemporain de cet état dans l'état, un corps commun donné à une multitude de références devenues éparses ; plus précisément, que *Buffy* est une somme, une encyclopédie de l'adolescence de la fin du XXe siècle, qui a recollecté toutes ses représentations démembrées.

UNE SOMME ADOLESCENTE :
« SOME ASSEMBLY REQUIRED »

C'est Marcel Mauss qui a introduit le concept de « fait social total », pour qualifier ce par quoi s'exprime d'un coup toutes les institutions d'une société. Faisons l'expérience de considérer *Buffy* comme un « fait adolescent total ». Pour paraphraser malicieusement le Mauss de l'*Essai sur le don*, on peut alors estimer que « les différents éléments adolescents ne sont plus considérés séparément dans *Buffy*, mais comme une totalité concrète dans laquelle ils s'insèrent et par rapport à laquelle ils prennent sens en formant système ».

Continuons à paraphraser Mauss, en remplaçant le terme d'« homme » par celui d'« adolescent », et nous lirons : « C'est en considérant le tout ensemble que nous avons pu percevoir l'essentiel, le mouvement du tout, l'aspect vivant, l'instant fugitif où l'adolescence prend, où les adolescents *prennent conscience sentimentale d'eux-mêmes et de leur situation vis-à-vis d'autrui*[98] » (c'est nous qui soulignons). Considérons donc le tout qu'assemble Buffy et par lequel leur propre situation peut soudain apparaître aux adolescents, sous la forme d'une « conscience sentimentale ».

Disons que si *Buffy* était un kit de représentations adolescentes, on pourrait en trouver d'au moins neuf sortes.

... Le Gothique et la Fantasy

André-François Ruaud[99] distingue le mouvement gothique, après l'événement romantique, et la *fantasy*, sous-genre littéraire né à l'ère victorienne. *Buffy* relève incontestablement du gothique par son usage du mythe du vampire et le rôle qui incombe au sang dans les intrigues. Quant à la *fantasy*, qui naît à l'ère de la Révolution industrielle en Angleterre, c'est une réaction à la rationalisation du monde moderne. Au sein de cette *fantasy*, Jacques Goimard distingue un courant dit *romantic fantasy*, au croisement du gothique et de la *fantasy*: « Un monde où la magie ne reçoit pas d'alibi scientifique mais où l'héroïne est partagée entre les valeurs épiques ou horrifiques du combat et les valeurs sentimentales ou sensuelles de l'amour[100]. » Ce qui semble une bonne définition de *Buffy*, plusieurs années avant son apparition.

... La Romance amoureuse et le livre sentimental pour adolescents

On pense ici à une certaine sensibilité qui court de Carson McCullers à une littérature de jeunesse souvent méprisée, comme celle de Judy Blume. Ces textes abordent à travers la naissance des sentiments adolescents la découverte de l'autre, le racisme, la drogue, le divorce des parents, la masturbation et la découverte sensuelle de soi. La vie de familles recomposées se trouve au cœur de cette littérature sentimentale pour adolescents – on se souvient à ce propos de la méfiance de Buffy vis-à-vis de John Ritter, nouveau petit-ami de sa mère dans « Ted » (saison 2).

Certains romans de Judy Blume évoquent les premières menstruations (*Are you there God ? It's me Margaret*[101]), ou les premiers rapports sexuels, dans *Forever...*[102]. Les relations de Buffy avec Angel rappellent de ce point de vue *Forever* où un tout jeune couple, Katherine et Michael, décide de sceller un amour qu'ils croient éternel par l'acte sexuel. Judy Blume évoque ensuite la perte douloureuse du sentiment amoureux, semblable aux émotions qui s'emparent de l'esprit de Buffy lors de son éloignement progressif d'Angel, après la consommation de leur amour.

... La Sitcom adolescente

Comme dans les sitcoms adolescentes, les héros de Buffy ne travaillent pas mais leur quotidien est tout de même structuré régulièrement par des horaires et un calendrier : celui du monde scolaire. Toutes leurs aventures extraordinaires se déroulent donc dans le cadre d'un univers ordinaire, celui du cycle des cours, des examens, des fins d'années.

Le temps de *Buffy* paraît de ce fait tiraillé entre le quotidien cyclique de la série télévisée adolescente, calqué sur le calendrier scolaire, et un temps archaïque qui remonte à la surface : celui du surnaturel, du retour millénaire de créatures fantastiques, annoncé dans les grimoires de Giles.

... Les Comics

Au sein de ce quotidien de sitcom, *Buffy* importe l'imagerie des *comics* américains. Le thème récurrent des pouvoirs et des responsabilités qui en découlent est un classique des *comics* de l'âge d'or et d'argent et l'un des fondements de la culture de Joss Whedon. Et lorsque Buffy sent sur ses épaules le poids du devoir de sauver le monde, dans « *When she was bad* » (saison 2), ses paroles se confondent avec celles des superhéros et superhéroïnes.

... Le Policier

Moins évidente, l'influence du policier qui se fera jour dans l'atmosphère noire d'*Angel* n'en est pas moins importante : la plupart des épisodes de *Buffy* sont en effet structurés par une enquête et la résolution d'un mystère. C'est cette forme policière qui permet à Buffy de reconduire systématiquement le surnaturel, le désordre des événements à un ordre (apparemment) rétabli. On se souvient par exemple du premier épisode de la saison 3, «Anne », dans lequel Buffy enquête pour le compte de Lily sur la disparition de Rickie.

... Le Cinéma d'horreur

Depuis le scénario du film de 1992 présenté par Whedon comme un antifilm (raté) d'horreur, les rapports de *Buffy* avec les codes de l'horreur consistent en un permanent contrepied : l'horreur n'est jamais là où on le croit, et quand on finit par croire qu'elle n'existe plus, elle réapparaît. Dans « *Fear, itself* » (saison 4), la prétendue maison hantée s'avère ainsi *réellement* hantée : par ironie, l'imagerie des films d'horreur, dont les personnages sont devenus trop conscients, se réalise dans la vie quotidienne.

... Le Cinéma asiatique de combat

Comme le film d'horreur ou le *giallo*, le *wu xia pian* fait partie de ce « cinéma bis » qui influence Joss Whedon et dont les codes resurgiront dans *Firefly*. Dave West l'évoque dans « Concentrate on the Kicking Movie: Buffy and East Asian Cinema[103] », critiquant la faiblesse de la réalisation des combats et la distorsion infligée aux techniques extrême-orientales, de sorte qu'on peut considérer que *Buffy* joue plus avec les représentations occidentales des arts martiaux qu'avec leur réalité.

... Le Jeu vidéo

De ce fait, l'esthétique pour partie irréaliste des combats de *Buffy* tend parfois au *First Person Shooter* : à la fois l'identification aux combattants engage le spectateur dans le duel, à la fois l'ironie des dialogues, le peu de vraisemblance, à l'occasion, des coups portés l'en détachent et l'invitent à *jouer* avec les personnages.

... Le Rock indépendant

Les Breeders ont repris en guise d'hommage le thème de *Buffy*[104]. L'influence de l'*indie-rock* se perçoit donc dans la bande-son, lors des concerts au *Bronze* de petits groupes locaux soutenus par l'équipe de production ; surtout elle renforce le lien de parenté entre l'éthique de Buffy et celle de l'*indie-rock*. L'opposition structurelle entre *underground* et *mainstream* sert par exemple de modèle aux rapports initiaux entre Buffy et Cordelia. Et le Scooby Gang, rassemblement par défaut de marginaux du lycée, est construit sur le modèle des groupes de rock indépendants opposés à la variété dominante des années quatre-vingt.

Or, Buffy ne constitue pas seulement un tableau foutraque de tous ces aspects bariolés d'une sous-culture adolescente. Elle constitue un « fait total », dont ces multiples références sont les dimensions, et qui permet l'émergence d'une subjectivité à partir de ces éléments épars ramassés par Whedon dans les « poubelles » de la grande culture, comme le chiffonnier de Walter Benjamin[105]. Rapiéçant les éléments éparpillés de toutes les représentations adolescentes modernes, *Buffy* construit un nouveau modèle de sujet.

VERS UN MODÈLE DE SUBJECTIVITÉ ADOLESCENTE : *« BECOMING »*

Le sujet qui émerge de *Buffy* est celui qui prend conscience de la particularité du fait adolescent : son caractère évanescent, transitoire et qui doit travailler à sa propre perte.

L'adolescence n'a pas pour but sa conservation, mais le passage à un autre état. C'est la contradiction fondamentale entre la constitution d'un état et sa destruction nécessaire à sa réalisation même, qui semble le ressort fondamental de *Buffy* et des séries-sœurs qui suivront : *Alias* ou *Veronica Mars*. On retrouve évidemment le thème récurrent dans *Buffy* du sacrifice de soi à un bien supérieur pour sauver le monde, pour sauver Angel, pour sauver sa sœur, jusqu'au magnifique sacrifice final de Spike pour Buffy elle-même, qui conduit cette dernière, au seuil de l'âge adulte, non pas seulement à donner sa vie pour l'autre mais à accepter que l'autre puisse donner sa vie pour elle.

En réalité, trois menaces cernent l'état adolescent : le devenir, le changement intérieur (la puberté puis le vieillissement) ; le passage tout extérieur du temps (la routine du quotidien) ; la mort (avant d'avoir pu devenir adulte).

Le devenir intérieur des personnages provoque l'acceptation progressive de son rôle par Buffy, dans la première saison (« *Prophecy girl*»), son éloignement d'Angel dans la troisième. Quant au passage mécanique du temps, il est incarné par le rythme scolaire des années et le basculement d'une saison à la suivante. Enfin, le spectre de la mort, c'est la menace de la fin de la série. Si Buffy-le-personnage meurt, comment continue *Buffy*-la-série, c'est-à-dire son monde ? Chaque *cliffhanger* de fin de saison reconduit cette angoisse : à la fin de la première saison, Buffy apprend la prophétie et ne veut pas mourir ; à la fin de la deuxième, Buffy doit tuer Angel ; à la fin de la troisième, elle doit le sauver de la mort ; à la fin de la cinquième, elle meurt – et renaît.

Buffy expose alors comme un mythe le fait adolescent (l'ensemble des représentations adolescentes modernes) : un âge de la vie qui doit de lui-même mettre fin à lui-même. C'est l'histoire d'une subjectivité qui doit apprendre à se terminer pour continuer. Et la fin de la série est pour ceux qui la regardent le début de leur vie d'adulte.

Au croisement des représentations modernes et populaires de l'âge adolescent, *Buffy* ne fait pas de cette adolescence en pièces un objet d'étude ; elle marque plutôt l'effort pour reconstruire un mythe contemporain de la mort et de la renaissance d'une subjectivité qui aurait traversé l'âge sombre pour apprendre à vivre avec les autres. Mythe et somme des représentations adolescentes, elle les a transfigurées, comme par magie, en un cristal de subjectivité à travers lequel il deviendrait possible de réfracter la lumière de nos images de jeunesse, pour voir plus loin.

Buffy s'engouffre dans la faille de l'adolescence, entre la puberté et l'horizon de l'intégration sociale au monde adulte. Cet horizon, nous l'avons vu, a été repoussé par les transformations de la modernité. En réaction aux rites de passage anciens devenus archaïques, *Buffy* fonctionne comme l'assemblage encyclopédique des représentations contemporaines de l'adolescence, de bric et de broc, qu'elle assemble à la manière d'une créature de Frankenstein ; et à cette créature, l'adolescent de la fin du XXe siècle, elle donne une âme. Constituant l'adolescence comme un fait total, aux dimensions politique, économique, religieuse, éthique ou encore esthétique, *Buffy* raconte ce fait total comme un mythe, celui de l'adolescent qui trouverait en lui-même les moyens de survivre à sa mort symbolique, à la mort de sa jeunesse. Sans appui de la société et de ses rites archaïques, mais en refondant une communauté (le Scooby Gang, étendu aux dimensions du réseau des fans de la série), l'adolescent invente son propre mythe, plutôt que de se plier à ceux qui ne correspondent plus à ce qu'il est devenu.

Pour répondre à la question posée en introduction, on comprend mieux grâce à *Buffy* ce qui transforme parfois une œuvre d'art en objet culturel capable de faire naître un « univers de référence », partagé par des fans : c'est la capacité à transformer un système de représentations en mythe, et un mythe en modèle de subjectivité.

Buffy, en systématisant un ensemble de représentations, est bien devenue un modèle de conscience et d'action : c'est moins le miroir réaliste d'un adolescent d'aujourd'hui qu'une manière de montrer comment l'ensemble des représentations de l'adolescence peut laisser émerger un sujet conscient, parfois ironique, à l'entrecroisement de l'univers gothique, de la romance amoureuse, de la série télévisée, des *comics*, du policier, de l'horreur, du rock, du jeu vidéo et des films de baston. En totalisant ces manifestations partielles de l'état adolescent, *Buffy* ne désigne plus l'adolescent ou l'adolescente comme un objet aliéné par la culture de masse. Elle lui laisse le temps d'émerger, de saison en saison, comme un sujet qui se rapporte à ces représentations, qui s'y identifie et s'en différencie. Ce « sujet-Buffy » (mais aussi bien Willow, Xander, Tara…) joue le rôle de modèle pour le spectateur, qui grandit avec – et parfois contre – comme en compagnie d'un grand frère, d'une grande sœur. C'est un sujet mélancolique : une subjectivité qui, pour vivre, doit faire l'épreuve de sa perte. Cesser d'être adolescent, devenir adulte, quitter le monde à la fois naturel et supranaturel et social de Sunnydale, pour pénétrer le monde social, passer de l'autre côté de la barrière – sans se trahir.

NOTES

84. Rhonda V. Wilcox, David Lavery (éd.), *Fighting the Forces*, Rowman & Littlefield Publishers, 2002.

85. Rhonda V. Wilcox, *Why Buffy Matters ?*, I.B. Tauris, 2005.

86. James B. South, William Irwin (éd.), *Fear & Trembling in Sunnydale*, Open Court, 2003.

87. Michael Adams, *Slayer Slang*, Oxford University Press, 2004.

88. Lorna Jowett, *Sex and the Slayer*, Wesleyan University Press, 2005.

89. Jes Battis, *Blood Relations*, McFarland & Company, 2005.

90. Jana Riess, *What would Buffy do?*, Jossey-Bass, 2004.

91. On pense aux Indiens vengeurs de « Pangs » ou au statut de métisse de Kendra.

92. Rhonda Wilcox a comparé à juste titre les sept années de *Buffy* et les sept années de *Harry Potter* dans « When Harry meets Buffy », *Why Buffy Matters*, *op. cit.*

93. Emmanuel Kant, *Conjectures sur le commencement de l'Histoire humaine* (1785-1786), trad. Luc Ferry, in *Œuvres philosophiques*, t. II, Paris, Gallimard, coll. « Bibliothèque de la Pléiade », 1985, p. 512-513.

94. Victor Turner, *The Forests of Symbols: Aspects of Ndembu Rituals*, Cornell University Press, 1967.

95. Arnold van Gennep, *Les Rites de passage. Études systématiques des rites*, Picard, 1909, rééd. 1981.

96. Philippe Ariès, *L'Enfance et la vie familiale sous l'Ancien Régime*, Plon, 1960.

97. Benoît Sabatier, *Nous sommes jeunes, nous sommes fiers. Histoire de la culture jeune d'Elvis à Myspace*, Hachette, 2007.

98. Marcel Mauss, *Essai sur le don. Forme et raison de l'échange dans les sociétés archaïques* (1923-1924), in *Sociologie et anthropologie*, PUF, 1966, p. 147 *sq.*

99. André-François Ruaud, *Cartographie du merveilleux*, Gallimard, 2001, p. 20 *sq.*

100. Jacques Goimard, *Critique du merveilleux et de la fantasy*, Pocket, « Agora », 2003.

101. Judy Blume, *Are you there God? It's me Margaret*, Yearling, 1970.

102. Judy Blume, *Forever...*, Bradbury Press, 1975.

103. Dave West, « Concentrate on the Kicking Movie: Buffy and East Asian Cinema », in Roz Kaveney (éd.), *Reading the Vampire slayer*, I. B. Tauris, 2001, p. 166-186.

104. The Breeders, « Buffy Theme », *Son of Three*, 2002. On sait que le groupe des sœurs Deal apparaît la même année dans l'épisode « Him » de la septième saison.

105. «Un chiffonnier au petit matin (…) qui soulève au bout de son bâton les débris de discours et les haillons de langage», écrit Walter Benjamin à propos de Siegfried Kracauer («Un marginal sort de l'ombre», *Œuvres II*, trad. par Pierre Rusch, Gallimard, 2000, p. 188).

2. Rites de passage

Les adolescents meurent à 18 ans : *Buffy* et le rite de passage à l'âge adulte. Une double illusion ?

Barbara Olszewska

Si l'idée même de série permet de suivre, d'épisode en épisode, l'évolution des destins et des biographies des personnages principaux mis en scène à travers les différents scénarios, certains épisodes, plus que d'autres, s'attachent *a contrario* à montrer les ruptures décisives dans leur vie, et cela à travers les événements censés marquer leurs destins de manière particulière, en les considérant comme des plaques tournantes dans les rouages de la vie. D'un point de vue sociologique, cette transformation d'identité d'une catégorie de personne en une autre n'est pas uniquement l'affaire du temps naturel (biologique) de la vie, mais s'incarne dans les pratiques rituelles des membres d'une communauté où le passage s'exerce comme une force morale visant à maintenir et à réaffirmer l'unité du groupe (voir Durkheim, et Rawls[106]).

Cette transformation ne se fait pas sans effort, mais passe par des épreuves diverses où la vie des personnes est souvent mise en danger. Le passage est ainsi moralement et émotionnellement éprouvant, aussi bien pour les initiés que pour certains membres du groupe qui participent à la réalisation du rite[107]. Le douzième épisode de la série *Buffy contre les vampires*, saison 3, intitulé « Sans défense », que je me propose d'examiner à ce propos, est précisément consacré au rite de passage périlleux auquel la Tueuse est soumise, à son insu, par le Conseil des Observateurs à ses 18 ans. La confrontation qui s'ensuit avec son Observateur, Giles, me donnera l'occasion d'analyser le fondement conflictuel de la vision adolescente de la relation avec les membres de la catégorie adulte et, réciproquement, de la vision adulte de la relation avec les membres de la catégorie adolescente. Cela afin d'essayer de rendre compte de ce qui, selon la série, distingue le monde adulte de celui de l'adolescence et le rend si étrangement inquiétant[108].

Si l'on considère cet épisode d'un point de vue moral (ou plutôt amoral) ainsi que les émotions et les états affectifs que suscite la situation de passage mise en scène par la représentation cinématographique, la question se pose de savoir dans quelle mesure cette représentation est un moyen de rendre la perception morale et les émotions accessibles à l'analyse dans le détail de leurs expressions situées, et de quelle manière ces données constituent un objet d'enquête particulier pour l'investigation sociologique. Elle permet en particulier d'analyser la moralité des comportements et l'expression des émotions qu'ils mettent en évidence, dans l'expression langagière et l'interaction. J'essaierai de montrer comment l'épisode rend compte du caractère normatif de cette expressivité en employant ce que Kenneth Burke a appelé « la perspective par incongruité[109] », en établissant une distance critique par rapport à la notion anthropologique de rite de passage (Van Gennep) et de « force morale » des institutions qui le perpétuent.

LE TEMPS NATUREL DE LA VIE ET LES DISPOSITIFS DE CATÉGORISATION

Le temps naturel de la vie est un thème récurrent d'une série d'études portant sur la socialisation formulée en termes de processus de croissance des enfants et de leur transformation en adultes « complets » de la société. Comme le décrit Michel Atkinson : « En accomplissant ce genre d'analyses, en présentant comme "fait" que les enfants doivent devenir adultes et en présentant le schème de cette croissance irréversible comme une donnée naturelle non questionnable, les analystes fournissent un schème d'interprétation prescriptif où certaines conduites, attitudes, etc. sont vues comme issues des expériences antérieures de l'enfance[110]. » Le temps de vie naturel (*natural life time*) est traité comme un procès allant du début, de la naissance, vers la fin, la mort. La période entre les deux est considérée comme « croissance » (*growing-up* : qui renvoie au fait de grandir, de ne plus faire enfant) de l'enfance à l'adolescence, jusqu'à l'âge adulte. Du point de vue du sens commun, dit Atkinson, c'est ainsi que le monde est, peu importe que nous le souhaitions ou non. Les membres du groupe regardent ce phénomène de croissance (*growing-up*) comme un fait naturel de la vie, ils utilisent cette version naturelle des catégories d'âge pour, réflexivement, accomplir leurs activités communes et leur attribuer des valeurs et du sens.

De ce fait, dit Atkinson, les personnes *traitent* les versions de « *natural life time* » comme un ordre normatif, c'est-à-dire un schème d'interprétation forçant et guidant leurs actions, afin de préserver la facticité de ce temps naturel de la vie. La question est ainsi de savoir comment les personnes produisent ces versions des différents âges comme allant de soi, comme non questionnées, à travers quels genres de situations et activités, et comment ils rendent les passages entre catégories d'âges observables pour les autres ; enfin, comment cette préservation est accomplie, même lorsqu'il s'agit de cas de versions contradictoires ou métaphoriques.

C'est de cet « allant de soi » de la catégorisation sociale et de la description anthropologique des pratiques rituelles qu'il est question dans l'épisode « Sans défense » en en offrant une version ironique, tant en ce qui concerne la nécessité ancestrale des pratiques rituelles considérées que des processus par lesquels elles produisent la métamorphose des identités de ses participants. L'épisode montre en effet que si les normes sociales trouvent, pour les besoins de l'activité rituelle, une signification univoque, cette signification est loin d'être partagée du point de vue des deux catégories qui y tiennent une place différenciée. L'adolescente Buffy subit malgré elle le rite ancestral, et l'épreuve qui lui est associée est imposée par le Conseil des Observateurs au nom d'une tradition perpétuée depuis plusieurs siècles. Les principes moraux et normatifs sont objectivés à travers ce qui est dit et fait dans le cadre interactionnel et sont mobilisés pour traiter des problèmes qui s'y posent.

L'ORGANISATION ET LA TRANSFORMATION
DES IDENTITÉS INDIVIDUELLES

L'épisode met en scène une cérémonie, le *Cruciamentum*, censé réaliser le passage de Buffy Tueuse adolescente à l'âge adulte. Comme le souligne au début de l'épisode Quentin, le président du Conseil des Observateurs, cette cérémonie se perpétue depuis douze siècles et vise à honorer le rite de passage de la Tueuse :

> **1.** Quentin : You're having doubts. *Cruciamentum* is not easy… for Slayer or Watcher. But it's been done this way for a dozen centuries. Whenever a Slayer turns eighteen. It's a time-honored rite of passage.
> **2.** Giles : It's an archaic exercise in cruelty. To lock her in this… tomb… weakened, defenseless. And to unleash *that* on her. If any one of the Council still had actual contact with a Slayer, they would see, but I'm the one in the thick of it.
> **3.** Quentin : Which is why you're not qualified to make this decision. You're too close.
> **4.** Giles : That's not true.
> **5.** Quentin : A Slayer is not just physical prowess. She must have cunning, imagination, a confidence derived from self-reliance. And believe me, once this is all over, your Buffy will be stronger for it.
> **6.** Giles : Or she'll be dead for it.
> **7.** Quentin : Rupert, if this girl is everything you say, then you've nothing to worry about.

Lors du dix-huitième anniversaire de Buffy, un rite de passage secret est organisé par le Conseil des Observateurs à son insu. Pour réussir l'épreuve, Buffy doit affronter Zachary Kralik, un psychotique tueur de femmes devenu vampire, et cela (contrairement aux épisodes précédents) en tant que jeune fille normale, sans force physique surnaturelle, que Giles, son Observateur, lui ôte en lui injectant des substances relaxantes après l'avoir mise sous hypnose. Toutefois, lorsque Zachary Kralik s'enfuit et prend en otage la mère de Buffy, Giles, percevant le danger auquel est exposée Buffy, décide de lui révéler le secret. Il brise ainsi son serment d'Observateur, ce qui lui vaudra par la suite d'être démis de ses fonctions par le Conseil. On apprend ainsi à la fin de l'épisode que c'est non seulement Buffy qui est testée dans cette épreuve, mais également Giles. Comme dans n'importe quel autre rite de passage ou rite initiatique (voir les analyses de Van Gennep, 2011), il s'agit d'un rituel visant à réaliser le changement de statut social d'un individu, qui se matérialise le plus souvent par une cérémonie ou des épreuves diverses.

Dans *Les Formes élémentaires de la vie religieuse*, É. Durkheim remarque que la douleur et la souffrance sont indispensables pour « éprouver la valeur du néophyte » ; elles sont « génératrices de forces exceptionnelles » :

> C'est, en effet, par la manière dont il brave la douleur que se manifeste le mieux la grandeur de l'homme. Jamais il ne s'élève avec plus d'éclat au-dessus de lui-même que quand il dompte sa nature au point de lui faire suivre une voie contraire à celle qu'elle prendrait spontanément. (…) La douleur est le signe que certains des liens qui l'attachent au milieu profane sont rompus ; elle atteste donc qu'il est partiellement affranchi de ce milieu et, par suite, elle est justement considérée comme l'instrument de la délivrance[111].

Pour accéder à l'âge de l'autonomie, Buffy doit donc passer un test qui permettra au Conseil des Observateurs de juger de ses capacités à surmonter l'épreuve. À l'issue de cette épreuve, elle est censée augmenter ses capacités de Tueuse et son pouvoir d'action. En effet, l'importance du moment fatidique, 18 ans, est associée non seulement à la possibilité de faire de nouvelles activités et donc à l'autonomie qui leur est sous-jacente (voter, voyager, etc.) – mais possède avant tout un lien avec un test de compétence (ou d'intelligence).

Le rituel concerne donc ici davantage la catégorie professionnelle de Tueuse et non seulement celle d'adolescente atteignant l'âge adulte. De plus, le fait que la condition de passage soit liée à une épreuve spécifique qui doit se réaliser au moment d'atteindre, pour la Tueuse, l'âge de 18 ans, généralement entendu comme l'entrée dans l'âge adulte dans nos sociétés, donne à penser qu'il s'agit d'un rite de passage, toujours décidé, contrôlé et administré par des adultes et appliqué à une jeune femme possédant certes une force physique hors norme, mais à qui cette force est retirée le temps de l'épreuve. L'étape préparatoire du rituel consiste donc à éliminer ce qui fait de cette jeune femme une personne exceptionnelle – sa force physique – pour déterminer si ses capacités de jugement (confiance en soi, ruse) seules peuvent lui permettre de faire face aux situations desquelles d'ordinaire elle se sort grâce à sa force physique exceptionnelle et ses talents de combattante.

Pour le Conseil des Observateurs, les facultés de jugement sont alors le moyen de tester si Buffy la Tueuse est capable de faire preuve d'initiative personnelle pour triompher de l'épreuve sans l'aide des pouvoirs qui la distinguent des adolescents ordinaires. Elle passe un examen qui réaffirme son statut de Tueuse, mais non plus, comme cela a été le cas initialement, sur le mode de l'identification d'une personne qui bénéficie d'un don, mais avec le consentement d'un Conseil avisé et sachant reconnaître ces personnes et ce don particulier. Ici, le rituel instaure la Tueuse dans son statut qui lui est octroyé à l'issue d'un test similaire à un entretien d'embauche, puisqu'il porte en un sens sur ses compétences professionnelles.

Ce que réalise également ce rituel, c'est la réaffirmation, mais sur un autre registre, de la dépendance de Buffy au Conseil, *via* le succès à l'examen qui la confirmera dans son rôle de Tueuse. Par ce biais, elle entre dans un rapport de type professionnel avec l'organisation qui utilise ses services en temps de guerre contre les vampires. Ce que confirme le dialogue entre Quentin, le président du Conseil des Observateurs, et Giles : la Tueuse ne doit pas seulement être une machine à tuer docile, mais elle doit faire preuve d'initiative et d'inventivité dans les situations les plus difficiles. La soumettre à cela, sans aide extérieure, c'est la confronter à une situation périlleuse : qu'elle en sorte victorieuse l'intronisera en tant que novice dans le monde des adultes. C'est dire qu'elle aura agi en individu autonome ne comptant que sur ses propres ressources et sachant les employer au mieux. On a là à première vue l'esquisse d'une conception libérale de l'état d'adulte en société et des attentes qui pèsent sur ses membres, l'épreuve administrée par le Conseil étant la métaphore de cette norme. L'épisode permet ainsi de jouer de manière peu ordinaire sur les représentations des rapports de pouvoirs, car contrairement à ce qu'offrent les possibilités de la catégorie d'adolescent dans la vie ordinaire, pour passer le test, Buffy doit d'abord perdre ses pouvoirs surnaturels de Tueuse. Elle devient donc vulnérable tout d'abord, et doit affronter les forces du mal avec les capacités d'une adolescente normale ensuite.

LA MÉTAMORPHOSE DE L'IDENTITÉ ET LES ÉMOTIONS

Le passage d'une catégorie d'identité à l'autre est supposé être accompagné par le passage du monde des affects, qui est censé caractériser les réactions des enfants et des adolescents, à la rationalité adulte. En même temps, comme le montre le moment de la révélation, devenir adulte s'accompagne d'une exposition à la mort (et ici aussi au risque de devenir vampire) que les adultes font subir aux adolescents au nom de ce passage. Être autonome veut également ici dire que Buffy doit rompre certaines relations, en initier d'autres et cesser ou débuter certaines catégories d'activités associées à l'entrée dans l'âge adulte : cesser d'aller à la patinoire avec son père, ne plus bénéficier de l'aide de Giles (l'Observateur) qui, en l'absence du père, jouait le rôle de passeur.

Malgré la singularité des catégories de membres qui sont concernées par le rite de passage, l'épisode souligne son inscription dans l'histoire de l'institution. Le rituel est réitéré dans le temps et s'applique aux mêmes catégories de membres (Tueuses, Observateurs) depuis des siècles et il est « appelé » à certains moments de leurs biographies pour marquer significativement les différentes formes de passage, à travers les différentes épreuves qui leur sont adaptées. Chaque rite permet ainsi de tester les différentes aptitudes des membres à appartenir à la collectivité. Toutefois, si cette dernière exerce une certaine force morale sur les individus, il faut encore que ceux-ci l'incarnent empiriquement pour qu'elle soit effective. Le rite de passage reconfigure en même temps les relations entre les membres d'une communauté de manière nouvelle, voire inédite, qu'il s'agisse des relations entre adolescents et adultes (Buffy-Quentin, Buffy-Giles) ou entre adultes eux-mêmes (Quentin-Giles).

Les moments successifs de l'épisode permettent de mettre en évidence les attentes mutuelles différenciées entre membres de groupes de pairs adolescents d'un côté, et les droits et les devoirs qui pèsent sur les adultes de l'autre. Comme l'a décrit Harvey Sacks[112], certaines catégories sont désignées comme propres à la collectivité des membres qui les composent, elles sont en ce sens « révolutionnaires », et d'autres sont imposées par une catégorie à l'autre. La catégorie « adolescent » est, dira Sacks, typiquement une catégorie employée par la catégorie des adultes. La catégorie « Tueuse » bénéficie davantage d'une acceptation commune. Le rite de passage ne concerne pas uniquement la catégorie adolescente, mais aussi le genre de Tueuse que doit devenir Buffy.

On peut en effet être Tueuse en étant adolescente, mais ce qui change c'est la manière « adulte » d'accomplir l'identité : d'un côté on tue parce qu'on a de la force, de l'autre on tue avec intelligence et par nécessité. Ce qui change donc dans ces deux cas, c'est le mode de raisonnement appliqué aux actions des deux groupes. Les adolescents fonctionnent entre eux sur le mode de la spontanéité et de l'affectivité. C'est un univers très moral fondé sur le sentiment de justice et ils attribuent ces mêmes règles aux adultes. Tandis que les adultes sont soumis aux contraintes liées à leurs fonctions et notamment aux hiérarchies professionnelles dans lesquelles ils sont pris : tels le père de Buffy, Giles ou Quentin. Être intelligent ou rusé est ainsi souvent synonyme de rationalité adulte à acquérir.

LA FIGURE DU PASSEUR

Un point intéressant dans cet épisode, qui approfondit et en même temps permet de prendre de la distance par rapport à la vision quelque peu déterministe de l'institution que je viens d'esquisser, concerne la transformation des relations interpersonnelles de la Tueuse avec les adultes qui l'entourent. Le passage de l'adolescence à l'âge adulte modifie les rapports entre Buffy et des adultes qui sont principalement masculins : Angel, le vampire aimé ; le père dont l'absence pour les 18 ans de sa fille, rompt un autre rite qui existait entre Buffy et lui et consistait à aller voir un spectacle de patinage, absence justifiée par ses obligations professionnelles ; et Giles, son Observateur, dont elle va découvrir qu'il a trahi sa confiance au nom du Conseil. C'est aussi le moment de toutes sortes de déceptions. Le moment qui suit l'abandon de Buffy par son père le jour de son anniversaire est mis en parallèle avec la déception qu'elle subira plus tard en découvrant la trahison de Giles – qui jouait le rôle de père substitutif pour Buffy.

La figure de Giles est au cœur du rite de passage et du test de compétences auquel est soumise Buffy.

Sans le savoir, Giles est lui-même concerné par le test imposé par le Conseil. Plus âgé qu'elle, Giles est à la fois son instructeur et son « Observateur », il est donc censé avoir une sorte de point de vue extérieur sur la situation et peut, de ce fait, jouer le rôle de passeur entre deux mondes, mais aussi entre les deux autres catégories d'hommes, celle du père, dont Buffy doit apprendre à ne plus dépendre, et celle d'amant, qu'elle est en train de découvrir.

Il a un rôle finalement comparable à celui d'un éducateur (le choix de la fonction de Giles, bibliothécaire, en rapport avec la connaissance et les livres, est directement lié à la transmission du savoir), mais il est aussi celui à qui on peut se confier plus facilement car il est extérieur aux relations dont Buffy dépend affectivement ou économiquement, comme c'est le cas avec ses parents. Giles est en effet l'un des rares adultes qui partagent le monde des adolescents tout en appartenant au monde des adultes. Le passeur est une figure emblématique du rite, il aide à passer le cap, au sens propre comme au figuré de ce terme. Mais avant tout, Giles a pour mission d'accompagner Buffy dans son épreuve de passage vers le statut de Tueuse adulte, et ce que cette épreuve va lui faire découvrir. Il le fait toutefois pour l'aider à « devenir plus forte » (termes formulés par le chef des Observateurs, Quentin), car de la force de ses membres dépendent les pouvoirs, le maintien et l'existence même de la communauté. Giles doit ainsi agir à son insu et l'affaiblir. C'est donc en trahissant sa confiance que Giles est censé servir le Conseil et préparer Buffy à la mise à l'épreuve de ses « pouvoirs naturels ». On voit là aussi la réaffirmation de sa conscience professionnelle.

Le rôle de l'Observateur est un rôle quelque peu paradoxal : l'Observateur doit se garder de s'attacher à Buffy tout en lui témoignant de l'affection – ce sans quoi Buffy n'aurait pas « marché », et n'aurait pas voulu jouer son rôle de Tueuse (qui lui est imposé par le Conseil). C'est cette contradiction même qui permet à Giles de maintenir cette fonction de « stimulant » qui, tout en la formant, la réaffirme en même temps dans son rôle de Tueuse exceptionnelle et extraordinaire. Il renforce en elle la conviction qu'elle n'est pas une adolescente comme les autres, car elle a une mission à accomplir – elle est en cela supérieure à toutes les autres jeunes filles, puisqu'elle est dotée d'une mission et de pouvoirs exceptionnels que les autres adolescents de son entourage n'ont pas (ni Cordelia, très belle mais trop « fille », ni Faith, certes très forte mais sans sens moral, ni Willow, intelligente mais socialement maladroite). Mais cette force lui est en même temps naturelle, comme elle le montre à l'issue de l'épreuve. Giles ne fait donc que l'orienter dans le bon sens, le sens du combat contre les vampires et les forces du mal.

Cette conviction (le bien-fondé de la lutte contre les vampires au nom de la communauté) est renforcée de manière très professionnelle par Giles qui doit nourrir au jour le jour sa motivation à combattre, nécessaire à la survie de la communauté des humains en guerre contre les vampires. Giles est donc contraint par les règles établies par le Conseil (le réseau social et professionnel) de ne pas s'impliquer, de ne pas afficher son attachement pour la Tueuse, ni son affectivité qu'il doit apprendre à mettre à distance. Mais son rôle professionnel et ses actes calculés sont dévoilés au moment de la révélation prématurée du secret du rite de passage.

Le moment de la révélation

Le moment clé de l'épisode et du sens du rite de passage est l'échange orageux entre Buffy et Giles, après que celui-ci lui a révélé la règle de la mise à l'épreuve de la Tueuse (une règle millénaire, est-il dit). Ainsi, Buffy voit-elle dans la révélation de Giles la preuve d'une trahison de sa confiance en lui et, par extension, dans le Conseil. Elle découvre que la relation privilégiée qu'elle avait nouée avec Giles était soumise à d'autres considérations relatives aux règles du Conseil en tant qu'institution en guerre. Giles est, comme les autres membres du Conseil, tenu à l'observance de ces règles de fonctionnement. C'est la base du conflit entre Buffy et lui dans cet épisode. Leur dialogue cristallise le moment de la « prise de conscience » de l'incompatibilité entre deux versions du monde qui s'ensuit. Cette prise de conscience se trouve ainsi au cœur du rite de passage auquel Buffy se trouve soumise et participe à sa transformation.

Le moment de la « révélation » pose plusieurs questions d'ordre moral. Tout d'abord, comment Giles, en un sens l'éducateur de Buffy et son proche, se voit-il contraint sous l'emprise du Conseil de l'affaiblir dans la seule intention de la soumettre à une épreuve dont il n'est pas sûr qu'elle puisse se sortir vivante ? Comment a-t-il donc pu la trahir ? Ou encore comment la révélation de cette trahison est-elle vécue émotionnellement par Buffy en participant, indirectement, à sa métamorphose ? Examinons le passage en question.

1. Buffy : When I hit him, it felt like my arm was broken, it hurt so much. I can't be just a person. I can't be helpless

like that. Giles, please, we have to figure out what's happening to me.

2.Giles : It's an organic compound... of muscle relaxants and adrenal suppressers. The effect is temporary. You'll be yourself again in a few days.

3. Buffy : You?

4. Giles : It's a test, Buffy. It's given to the Slayer once she... uh, well, if she reaches her eighteenth birthday. The Slayer is disabled and then entrapped with a vampire foe whom she must defeat in order to pass the test. The vampire you were to face... has escaped. His name is Zachary Kralik. As a mortal, he murdered and tortured more than a dozen women before he was committed to an asylum for the criminally insane. When a vamp...

5. Buffy : You bastard. All this time, you saw what it was doing to me. All this time, and you didn't say a word!

6. Giles : I wanted to.

7. Buffy : Liar.

8. Giles : In matters of tradition and protocol, I must answer to the Council. My role in this... was very specific. I was to administer the injections and to direct you to the old boardinghouse on Prescott Lane.

9. Buffy : I can't... I can't hear this.

10. Giles : Buffy, please.

11. Buffy : Who are you? How could you do this to me?

12. Giles : I am deeply sorry, Buffy, and you have to understand...

13. Buffy : If you touch me, I'll kill you.

14. Giles : You have to listen to me. Because I've told you this, the test is invalidated. You will be safe now, I promise you. Now, whatever I have to do to deal with Kralik... and to win back your trust...

15. Buffy: You stuck a needle in me. You poisoned me!
16. Cordelia: What's going on? Oh, God. Is the world ending? I have to research a paper on Bosnia for tomorrow, but if the world's ending, I'm not gonna bother.
17. Giles: You can't walk home alone, Buffy. It isn't safe.
18. Buffy: I don't know you.
19. Cordelia: Did something take her memory? He's Giles. Giiillles. He hangs out here a lot.
20. Buffy: Cordelia, could you please drive me home?

La scène de révélation débute par le rappel du problème auquel se heurte Buffy: elle a perdu sa force sans savoir si c'est une perte «provisoire» ou «définitive», dans ce dernier cas, elle deviendrait une «personne», comme elle dit, une fille banale, ce qui est pour elle impensable.

En réponse à ses interrogations, énoncées sur un ton tragique, Giles lui dévoile enfin la vérité en exhibant la boîte avec la seringue qui a servi à lui injecter un produit relaxant et un suppresseur d'adrénaline. Le but étant de la rendre sans défense, comme si le fait de passer à l'âge adulte, au lieu d'être considéré comme une augmentation de pouvoirs, nécessitait, ne serait-ce que momentanément, un affaiblissement. La formulation par Giles de ses raisons d'agir est délivrée sur le mode d'une description objective des faits à travers lesquels celui-ci cherche à esquisser devant Buffy la force supérieure qui a guidé son action. Il ne faisait qu'obéir au protocole et à la tradition, comme il dit. Toutefois, plus il se livre à cette description détaillée des faits, plus Buffy le méprise. Les raisons et la forme de son explication ne sont tout simplement pas compatibles avec la vision qu'avait Buffy de la mission de Giles et de sa relation avec lui.

Elle s'aperçoit désormais du caractère purement professionnel des actions de Giles qui applique les ordres qui lui sont donnés par sa hiérarchie. De la sorte, la vision de sa propre mission et d'elle-même est transformée – elle n'est plus cette adolescente exceptionnelle et unique qu'elle croyait être, elle aussi n'est plus qu'une employée de l'organisation qui l'a choisie pour ses capacités de Tueuse, certes unique, mais non pas irremplaçable : ainsi dès qu'une Tueuse meurt, une autre est immédiatement envoyée à sa place (ce qu'on peut par exemple voir dans la saison 5 après la mort de Buffy). L'ego de Buffy en prend donc un coup, bien qu'elle en sorte en effet plus renforcée et autonome en un sens là encore paradoxal – car l'autonomie n'étant qu'incorporation des règles de l'organisation, elle agit spontanément comme elle aurait agi avant sous l'impulsion de Giles. Le moment de la révélation est en même temps un moment de socialisation de Buffy. Comme l'a mis en avant Émile Durkheim :

Une société n'est pas simplement constituée par la masse des individus qui la composent, par le sol qu'ils occupent, par les choses dont ils se servent, par les mouvements qu'ils accomplissent, mais avant tout, par l'idée qu'elle se fait d'elle-même. Et sans doute, il arrive qu'elle hésite sur la manière dont elle doit se concevoir : elle se sent tiraillée en des sens divergents. Mais ces conflits, quand ils éclatent, ont lieu non entre l'idéal et la réalité, mais entre deux idées différentes, entre celui d'hier et celui d'aujourd'hui, entre celui qui a pour lui l'autorité de la tradition, et celui qui est seulement en voie de devenir. (…) C'est en assimilant les idéaux élaborés par la société qui, en l'entraînant dans la sphère d'action, lui a fait contrecarrer le besoin de se hausser au-dessus du monde de l'expérience et lui a, en même temps, fourni les moyens d'en concevoir un autre[113].

Suite à cette révélation, Buffy ne reconnaît plus Giles, elle voit en lui la catégorie adulte d'une nouvelle manière – comme un simple employé d'une organisation et non plus comme son protecteur avec qui elle avait des relations d'amitié privilégiées, elle apprend donc quelque chose à son sujet et sur la forme de relation qu'elle a avec lui. D'autre part, Giles est montré dans son incapacité à faire endurer des souffrances à cette adolescente à laquelle il s'est finalement attaché et promet de l'aider, une nouvelle fois. Il explique à Buffy son acte comme guidé par un principe supérieur – et se montre comme ne faisant que reproduire un protocole et n'étant donc pas en un sens entièrement responsable (voir la réplique n° 8 de Giles). Comme nous l'apprenons à la fin de l'épisode, le Conseil dégrade l'Observateur à la suite de sa trahison, parce qu'il a dévoilé les termes de l'épreuve à la Tueuse, mais aussi parce qu'il n'a pas su tenir son rôle d'Observateur « détaché ». Malgré la conscience de cette « Raison Supérieure », Giles exprime ses doutes quant au bien-fondé du rite qu'il juge « archaïque », d'autant plus qu'il n'est pas entièrement fiable : Kralik s'enfuit de la maison dans laquelle il devait rester enfermé et Giles pense que de ce fait l'épreuve est annulée.

La situation de révélation a, malgré son caractère douloureux (la découverte de la trahison de son

Observateur est quelque chose que Buffy a du mal à comprendre), un effet libérateur pour les deux protagonistes. C'est là le point clé de l'analyse : certes, il faut encore passer à l'acte, donc combattre le vampire psychopathe Kralik avant de pouvoir réussir le passage, toutefois la prise de conscience de la trahison de Giles constitue le cœur du rite et ce qui permet d'ancrer son effectivité ou sa performativité – performativité qui, du point de vue des participants, est au cœur de tout rite[114]. L'épisode appréhende cette performativité comme imposée « en chaîne » par une catégorie à l'autre (le Conseil des Observateurs l'impose à Giles qui l'impose à Buffy qui accomplit ainsi, comme malgré elle, le règlement issu de la tradition).

Cette asymétrie est constitutive de nombreux rites de passage (que l'on pense notamment à l'excision ou à la circoncision où l'adolescent(e) subit, plus qu'il n'adhère, à la transformation visée), en tout cas, c'est sur cet aspect que l'épisode semble mettre l'accent. La perception même de cette trahison au nom d'un bien supérieur (il s'agit bel et bien de sauver le monde des humains et de le protéger des forces du mal) permet à Giles de fournir une excuse et de relativiser ainsi l'injustice faite à Buffy en son nom.

Le moment dramatique expose une conception justifiable du mal lorsque celui-ci vise un bien supérieur – ici la survie des humains. L'arrivée soudaine de Cordelia interrompt leur échange, elle qui vient dans la bibliothèque pour effectuer des recherches sur la Bosnie. Peut-on y entrevoir un clin d'œil critique vis-à-vis de la politique des États-Unis en Bosnie pendant la même période ? Le collectif aurait ainsi le droit de sacrifier certains individus et de les mettre à l'épreuve, même au risque de leur vie.

En effet, ce qui est terriblement incongru dans cette révélation de la vérité, c'est le mode sur lequel Giles se justifie : la discordance entre « ce n'est qu'un test » et la dure réalité de l'épreuve à laquelle est soumise Buffy. Comme si la catégorie « test » avait le pouvoir d'atténuer l'acte de trahison et la cruauté de l'épreuve.

La disproportion est avant tout visible à travers le danger réel auquel est exposé Buffy et reflète les caractéristiques « sadiques » des adultes qui se livrent comme malgré eux aux rites de passage. La recherche du plaisir dans la souffrance de l'autre, en général plus faible (physiquement, moralement), de la part de la communauté des adultes s'incarne dans l'action du psychopathe Kralik qui a tout d'abord « un problème avec les mères » et qui aimerait bien que Buffy passe dans son monde de vampire, ou encore dans le sadisme du Conseil des Observateurs et de Giles qui « affaiblit » Buffy au nom d'un rite ancestral... L'épisode jette ainsi un doute sur le bien-fondé du test, doute qui est souligné par Giles (dans les échanges avec Quentin), mais aussi à travers la révélation de Giles lorsqu'il prend conscience du danger auquel est exposée Buffy après la fuite de Kralik.

Le combat contre le vampire devant rester dans le cadre du test devient ainsi une réalité avec toutes sortes de possibilités et d'accroissement du risque pour Buffy. L'épisode souligne ainsi la fragilité des frontières entre deux cadres : le cadre de l'épreuve, mais dont les effets et les conséquences, tant sur la forme que prennent les événements que sur la biographie des personnages, dépassent largement le cadre du « test sous contrôle ». C'est ce manque d'étanchéité qui est mis en cause par Giles lorsqu'il en fait le reproche au président du Conseil et lorsque Buffy s'aperçoit que le test déborde sur sa vie privée, alors que cette « porosité » semble assumée par Quentin, même lorsque Kralik s'échappe.

La force morale de l'enjeu apparaît ici d'autant plus nette que Giles savait ce qui se passait, pendant que Buffy se posait des questions, il était même le responsable principal de son affaiblissement. Comme le souligne Sacks à propos du mythe d'Œdipe, Freud devrait plutôt parler d'infanticide que de parricide, en soulignant la différence entre un acte de meurtre commis en connaissance de cause et un acte perpétré dans l'ignorance de celui-ci. Lorsqu'il tue son père, Œdipe ne sait pas que c'est son père ; or lorsque les adultes tentent de tuer Œdipe, ils le font en connaissance de cause. Le mythe dit ainsi qu'on n'échappe pas au destin prédit par l'oracle. Le mythe d'Œdipe est exemplaire en ce sens du fonctionnement déterministe des mythes et des croyances. Quoi que fassent les personnes, elles ne font, sans le savoir, qu'accomplir la prédiction, qui se réalise comme d'elle-même sur la base de leurs actions.

L'épisode de *Buffy* montre au contraire que du point de vue des personnes, agir en ayant l'intention de trahir, trahir sans le savoir, et trahir en connaissance de cause, mais en vue d'un « bien » supérieur, sont trois choses différentes. Buffy ne perçoit dans l'acte de Giles que le premier niveau, fondé sur l'asymétrie de savoirs et sur la dissimulation par Giles de son acte qui la met en danger. Elle prend conscience du cadre de la manipulation orchestrée par les adultes dans lequel elle sert d'instrument. C'est cette instrumentalisation planifiée qui est au cœur de la rupture. La perception de ce problème d'un point de vue opposé, ancré dans une éthique adolescente, se solde par la rupture de la relation avec Giles dont l'aspect identitaire ainsi dévoilé fait conflit avec l'image qu'elle se faisait de lui au préalable. Buffy se trouve bel et bien dans une réaction de choc émotionnel, lorsqu'elle découvre cette réalité discordante. La situation est de plus en plus incertaine, au sens de perturbée, ambiguë, confuse, pleine de tendances contradictoires, obscure. Le moment de la révélation initie la métamorphose de deux catégories en même temps, celle de Buffy et celle de l'Observateur. Comme l'a mis en avant John Dewey :

> Les situations qui sont troublées et dérangées, confuses ou obscures, ne peuvent pas être redressées, éclairées et mises en ordre par simple arrangement de nos propres états psychiques. (…) Le rétablissement de l'intégration ne peut s'effectuer dans un cas comme dans l'autre que par des opérations qui modifient réellement les conditions existantes, et non simplement par des «processus mentaux[115]».

Buffy traite Giles de « connard » et de « menteur », le choix de ces deux termes permet d'indiquer comment elle évalue sa nouvelle identité et comment elle qualifie moralement ses actes. Cette évaluation négative témoigne de la rupture entre deux versions incompatibles d'identité qu'elle considère à présent à propos de Giles et indique le changement de relation entre eux. Comme l'a remarqué Harvey Sacks, certaines catégories sont la propriété d'un groupe distinct de celui à qui la catégorie est appliquée. Ainsi, les catégories dominantes informent et pèsent sur la manière dont les gens perçoivent la réalité. Et il y a par conséquent quelque chose de révolutionnaire dans la tentative de modifier par ce biais la perception commune de la réalité[116].

Bien qu'elle soit difficile à entendre, cette vérité, qui oblige Buffy à attribuer une nouvelle identité à Giles et à rompre la confiance qu'elle avait en lui, constitue l'acte symbolique de rupture qui la conduira vers une forme d'autonomie. En effet, à l'issue de cette scène, elle se trouve dans l'obligation de combattre seule le vampire Kralik et dans des circonstances non expérimentales cette fois-ci, bien que, comme le veut l'ironie du sort, ce faisant elle accomplisse d'elle-même le plan prévu par le Conseil.

Son destin de Tueuse professionnelle s'accomplit ainsi individuellement sur les rails d'une force morale (combattre le vampire, sauver sa mère) qui la contraint d'agir. L'épisode offre ainsi un exemple intéressant de la manière dont les individus se trouvent engagés malgré eux dans des combats qui ne sont pas initialement les leurs (« cette guerre, c'est vous qui l'avez commencée » dit Giles à Quentin vers la fin de l'épisode). Toutefois, ce n'est qu'à la fin de l'épisode, lorsqu'elle a « réellement » tué le vampire et que le Conseil a actualisé cette victoire en la félicitant, que la métamorphose de Buffy peut être réalisée effectivement et donner lieu à l'émergence de sa nouvelle identité de Tueuse « adulte » et « professionnelle ». La fin de l'épreuve lui permet en même temps d'élaborer une vision élargie de la situation dans laquelle elle se trouvait en tant qu'adolescente, elle prend conscience d'une communauté en guerre, dans laquelle la question de la justice ne se pose pas tant en termes affectifs qu'en termes de *business* et de rapports pyramidaux entre les membres d'une organisation. C'est ce qui lui fait voir la trahison de Giles sous un nouvel éclairage et lui permet de lui pardonner.

La distanciation, la construction

Un autre point intéressant dans cet épisode, qui approfondit et en même temps permet de prendre de la distance par rapport à la vision quelque peu déterministe de l'institution et de ses traditions que je viens d'esquisser, concerne la façon dont il met en lumière son idéologie en créant de la distance par la production d'effets comiques.

À travers les procédures tant linguistiques qu'expressives (les émotions exprimées, les symboles, les cadrages), le film constitue pas à pas ce que K. Burke appelle « la perspective par incongruité[117] ». En même temps qu'il raconte une histoire, il fournit aux spectateurs de nombreuses pistes pour prendre ses distances par rapport à elle. Il le fait à travers l'humour qu'il associe à l'ésotérisme impliqué par la cérémonie, humour qui crée de la distance par rapport au caractère dramatique de la situation dans laquelle se trouvent les principaux personnages. En effet, la fiction transpose l'un dans l'autre plusieurs jeux de langage, issus de contextes différents : l'ésotérisme, la sociologie, la vie culturelle de l'Américain « moyen », la fiction, etc. Comme l'ont montré différents auteurs, la transplantation des ressources descriptives qui dérivent d'un contexte donné (anthropologie des rites) dans un autre (sa conception profane) peut être traitée comme une série d'instructions pédagogiques permettant de voir de manière amplifiée, ou simplement de rendre visibles, les traits autrement ignorés par les praticiens de ces domaines et l'expertise qu'ils revendiquent à propos des savoirs en jeu. Le film subvertit leur sens premier en employant des procédures d'assemblages particulières. À travers des procédés humoristiques, le spectateur peut ainsi créer une distance critique par rapport à ce qui est dit et fait. Le combat contre le mal s'offre ainsi sous une lumière quelque peu distante, tant à travers la catégorie de vampire (ancien psychopathe) qu'à travers les principes affichés par le Conseil des Observateurs, au nom desquels on se permet de tuer. La perspective par incongruité offre aussi ce que H. Garfinkel et d'autres auteurs et philosophes ont pu appeler les éléments «vus» mais non « aperçus» de la vie quotidienne, des activités quotidiennes[118].

On peut plus particulièrement rappeler le développement de techniques dramatiques visant de cette manière à produire des effets de distanciation dans les pièces de théâtre de Bertolt Brecht, qui en a fait une arme de critique sociale : « Le but de l'effet de distanciation était d'amener le spectateur à considérer ce qui se déroule sur la scène d'un œil investigateur et critique. Les moyens utilisés étaient ceux de l'art. L'emploi de l'effet de distanciation dans cette perspective dépend de la réalisation d'une condition préalable : il faut débarrasser la salle et la scène de toute "magie" et n'y susciter aucun "champ hypnotique"[119]. »

Le rejet de l'«hypnotisme» se traduit dans le théâtre brechtien par le rejet des procédés émotionnels sur lesquels se fonde le jeu dans le théâtre classique, qui cherche à mettre le spectateur dans un état d'illusion lui faisant croire qu'il assiste à des événements réels ou suscitant chez lui certains états d'âme par le déchaînement de tempéraments dramatiques ou l'envoûtement par un jeu «tout en nerfs tendus». La perspective par incongruité visait dans les pièces de Brecht à montrer comment les effets littéraires pouvaient être construits par la rupture avec le sens usuel des procédés du raisonnement de sens commun et en en proposant un usage inhabituel. Dans l'épisode examiné, le dialogue entre Buffy et Giles est construit de manière à assembler des catégories qui sont incompatibles entre elles et peuvent être employées « côte à côte » comme pour souligner la duplicité du cadre dans lequel on se trouve, ce qui a pour effet de créer un effet d'étrangeté, tel par exemple au début de la scène de révélation.

Le dialogue débute par la description par Buffy de son état de faiblesse : « Quand je l'ai frappé, j'ai senti que mon bras allait se casser, je ne peux pas être sans défense. » Cet énoncé fait contraster entre eux deux faits contradictoires, d'un côté le fait de frapper si fort que son bras allait se casser, et de l'autre se sentir sans défense, ce qui dans la vie normale passerait pour un non-sens, lequel se justifie toutefois dans le contexte de la fiction dans lequel le spectateur sait quelles sont les « vraies » aptitudes de Buffy et il regarde son problème sous cet angle, comme Buffy la Tueuse ayant perdu sa force. Le renversement habituel d'une catégorie d'action (frapper fort) et de ses conséquences (avoir mal au bras et se sentir sans défense) crée un effet humoristique quand cela est exprimé par une petite adolescente, blonde et jolie, qui n'a, à première vue, rien d'une Tueuse.

Le choix d'une jeune Américaine banale, issue d'un milieu provincial, pour le rôle d'une Tueuse professionnelle est déjà un jeu avec les conventions, par opposition par exemple avec une fille de type « japonisant » telles les héroïnes de mangas ou les « catwomen », belles femmes, grandes et séductrices, que le public connaît à travers les films d'espionnage du temps de la guerre froide ou des héroïnes typifiées de la BD. L'épisode examiné propose ainsi une nouvelle modélisation[120] des schémas déjà en quelque sorte déconstruits par la série. Le scénario montre en effet, *a contrario* des épisodes précédents, et comme l'indique le titre, une Buffy-Tueuse sans défense. Nous l'avons dit, le titre se réfère en particulier à l'une des phases du rite de passage (la phase liminale, selon les termes de Van Gennep) où pour devenir plus forte il faut non seulement passer des épreuves, mais aussi être désorientée et affaiblie.

L'épisode fournit non seulement une version comique des éléments formels des séquences rituelles types et de ses phases clés (préliminaires, marge, rite négatif, métamorphose), mais il met aussi à plat une version « sacralisée » de la conception tant profane que sociologique ou anthropologique du rite de passage et du bien-fondé de sa fonction sociale. Les procédés de distanciation donnent à voir autant l'ésotérisme sous-jacent de l'épisode, à travers par exemple le moment de la découverte par Buffy des pouvoirs émanant des pierres magiques ; que la naïveté des adolescents, à travers leurs thèmes de discussion (lorsque Buffy raconte avec nostalgie le rituel qui consiste à aller le jour de son anniversaire avec son père voir un spectacle de patinage et à manger de la barbe à papa à cette occasion) ; ou encore que la violence, lorsque Buffy se prépare à lutter contre Kralik habillée en plombier sauf qu'au lieu d'outils son sac contient divers pieux de tailles différentes. Le plaisir sexuel de la lutte est notamment souligné lorsque Buffy tend une croix en bois devant Kralik. Alors qu'il devrait en avoir peur comme c'est habituellement le cas dans les films de vampires, Kralik s'en saisit et lui fait toucher le bas de son ventre en manifestant une expression de plaisir. L'épisode est ainsi riche de détournements et de renversements d'habitudes et de conventions, qu'elles soient de l'ordre des représentations profanes, sociologiques ou cinématographiques. Rien n'y est écarté pour permettre la mise à l'épreuve des attentes des spectateurs.

Esquissons quelques enjeux d'ordre plus général que permet l'analyse succincte de cet épisode. Le premier concerne la distinction entre les catégories de l'adulte et de l'adolescent telles que je les ai abordées sous le signe de la socialisation naturalisée ; le deuxième concerne l'illusion d'autonomie que cette socialisation, créée par les adultes, maintient pour les adolescents ; enfin, le troisième concerne la critique de la nature, cause de la force morale des traditions et des procédés de distance critique employés dans cet épisode.

Je l'ai dit, le moment de la révélation met au jour les deux logiques normatives mutuellement divergentes de la relation entre les personnes que révèle la situation problématique considérée. Cela a à voir avec les attentes, les droits et les devoirs, les valeurs, les savoirs et les croyances qui sont actualisés par les membres de chacune de ces catégories dans la constitution et la préservation de leur identité sociale (d'adolescents ou bien d'adultes). Si les relations entre adolescents se fondent sur l'engagement personnel, l'ouverture à l'autre, l'intimité partagée (comme ce qui fonde des conduites mutuellement attendues entre adolescents dans le vécu de leurs relations ordinaires), les relations entre adultes et vis-à-vis des membres d'autres catégories mobilisent des médiations institutionnelles, des fonctions et des hiérarchies formelles qui les spécifient, qui influent sur les actions conduites et déterminent un autre registre d'évaluation et de justification.

L'argument, qui est peu ou prou celui d'Émile Durkheim, s'attache à montrer la force morale des traditions dans l'organisation sociale de la communauté d'adultes (le Conseil des Observateurs, en guerre contre les vampires), qui se manifeste dans le rite de passage qu'elle fait subir à Buffy, et en particulier ici l'illusion d'autonomie rendue désirable aux yeux de l'adolescente. L'analyse de la catégorisation employée par les membres des deux catégories permet de décrire la morale qui semble se dégager de cet épisode, laquelle est une critique des institutions et des valeurs contradictoires qu'elles incarnent et justifient par la tradition, des valeurs ancrées par les pratiques des adultes et imposées aux adolescents. Toutefois, si l'analyse sociologique tente de montrer un « allant de soi » des rites (leur force unificatrice causale), l'épisode permet au contraire de rendre étrange la naturalité des rapports entre les catégories « adolescents » et « adultes » et les devoirs que l'une des catégories impose à l'autre. Les effets de distanciation sont appliqués aux « rites » auxquels se livrent tout à la fois les adolescents et les adultes (épreuves cruelles voire sadiques). Ce faisant, la série opère une distanciation et remet ironiquement en cause l'importance (comme si une ligne invisible existait entre les deux périodes) du moment de passage d'un âge à l'autre, qui naturalise certaines pratiques institutionnelles de ses membres, en mettant en évidence leur caractère absurde ou contradictoire.

Nous l'avons vu, le rite de passage consiste à faire passer d'une certaine catégorie de Tueuse (qui agit avec une force surnaturelle et prend plaisir à tuer) à une autre (qui a de l'intelligence et est professionnelle en plus d'avoir de la force) : il vise donc à première vue à renforcer les capacités cognitives de la Tueuse.

Devenir adulte à travers le rite de passage, de la façon dont il est présenté ici, c'est donc tester son professionnalisme et sa loyauté envers l'organisation, ses règles et sa hiérarchie. C'est un rite d'institution (au sens de Bourdieu[121]) ou de collectivité qui affiche, tout en se réalisant, la force morale de l'organisation, les pratiques rituelles renforçant celle-ci en retour. Assurer la place de l'adulte, c'est donc apprendre à appliquer le règlement, à respecter les relations hiérarchiques, être capable d'acquérir un idéal – incorporer la conscience du Bien supérieur au-delà, voire au détriment, des individus particuliers, bons ou méchants, membres de l'organisation. Comme l'a mis en avant Durkheim, « la faculté d'idéaliser n'a rien de mystérieux. Elle n'est pas un luxe dont l'homme pourrait se passer, mais une condition de son existence. Il ne serait pas un être social, c'est-à-dire qu'il ne serait pas un homme, s'il ne l'avait acquise. (…) L'idéal personnel se dégage ainsi de l'idéal social, à mesure que la personnalité individuelle se développe et devient une source autonome d'action[122] ».

L'épisode rend cette version adulte étrange et suggère que, du point de vue des adolescents, passer à l'âge adulte consiste à comprendre une double illusion, ou à se désillusionner doublement. On découvre que ce que les adultes font croire aux adolescents depuis l'enfance – à savoir qu'il existe un moment particulier dans leur vie où ils auront enfin de l'autonomie, la liberté de prendre des décisions – n'est qu'une illusion. Devenir adulte consiste finalement à passer d'une forme de dépendance à une autre, de la dépendance affective et économique de l'adolescent à la dépendance hiérarchique et professionnelle régie par des droits et obligations, et aux sanctions que l'on applique à ceux qui échouent à les respecter.

À l'issue de l'épreuve, Buffy découvre la mort des illusions de liberté et d'autonomie, elle devient ainsi véritablement socialisée et doit faire le deuil d'un passé adolescent où seuls les affects et la force comptaient, au profit d'une nouvelle forme de rationalité. L'épisode souligne cette dernière de manière critique, l'âge adulte est montré davantage comme une affaire d'aliénation renforcée par l'organisation et les pratiques insensées, comme le rite de passage cruel auquel elle a été soumise par ses membres qui agissent en faisant croire qu'ils sont libres. Pourtant, les adultes font tout pour renforcer cette illusion de l'autonomie, qu'eux-mêmes n'ont pas, chez les adolescents, en les faisant patienter et en leur faisant miroiter de nouvelles possibilités d'action après leur majorité (« tu pourras, quand tu auras… »). On comprend mieux pourquoi le passage ne peut se faire qu'à travers la trahison et sa révélation (par une prise de conscience) – elle permet donc, aussitôt le passage effectué, de se rendre compte de l'illusion. L'initié est celui qui devra désormais de lui-même continuer à renforcer cette même illusion chez les adolescents, non initiés, ceux qui ne savent pas ou qui croient encore. L'épreuve à laquelle on les soumet ne consiste donc pas tant en une préparation à l'autonomie (le renforcement des pouvoirs de Buffy) qu'en un test de loyauté envers l'organisation dont Giles et Buffy sont les missionnaires.

D'autre part, l'épisode montre avec ironie la naïveté qui régit les rapports entre adolescents : Buffy avec sa barbe à papa qui ne songe qu'à son spectacle de patinage avec son père (un autre rite entre eux) plutôt que de se préparer à combattre Kralik ; ou Buffy en petit chaperon rouge; mais également ses amis (Willow, Alex) qui ne pensent qu'à faire la fête lors de son anniversaire et s'illusionnent encore sur l'idée qu'ils auront eux aussi plus de liberté à l'âge de 18 ans. Buffy, peut-on dire, présente une vision dickensienne de l'adolescent – qu'on accueille chez soi mais en échange de ses services; c'est une sorte d'adolescente instrumentalisée, dont le destin est par ailleurs circonscrit par des traditions lointaines et contradictoires, qui n'ont pas de justification autre que celle, tautologique, de la continuité. En effet, la seule raison que l'on donne au rite, c'est que ça se passe ainsi depuis douze siècles, c'est la tradition, ç'a toujours été comme ça, et donc on doit continuer à le faire, même si ça paraît atroce ou archaïque. Par ailleurs, ceux qui pratiquent le rite ne savent pas à quoi il sert réellement – la justification du test est contradictoire et peu crédible. Buffy est donc doublement sacrifiée: dans son adolescence déjà, puisqu'elle doit combattre les vampires et se retrouve privée d'une adolescence « normale », et en tant qu'adulte quand elle se sacrifie, mais de son propre gré. Elle a en effet intériorisé les missions et les règles comme étant les siennes, d'autant que sa mission lui permet de vivre une expérience hors normes et de sortir du rang d'adolescente ordinaire.

Le sort de Buffy illustre ce « *double bind*[123] » de l'adolescence: quoi qu'elle fasse, elle ne sera jamais totalement libre. Ainsi, l'idée même de liberté et d'autonomie au sens ordinaire du terme est ici requalifiée. La force morale de la tradition devient objective, comme l'a souligné Durkheim, elle acquiert sa force causale, intériorisée par des pratiques rituelles de membres adultes qui cherchent à rendre désirables aux yeux des adolescents les illusions qu'ils créent. L'adulte, tel Giles, peut donc se définir comme une construction sociale étayée par les pratiques d'autres adultes laissant au réel sa contradiction – c'est-à-dire un individu qui se rendrait compte qu'il peut faire des choses atroces à quelqu'un d'autre sous prétexte de faire le Bien au nom de l'institution, de ses règles et de ses traditions. Cette remarque établit un lien avec la morale implicite qui se dégage de l'épisode : on revient à l'idée que l'institution qui caractérise la vie des adultes en communauté, ses traditions, rites, droits, obligations et sanctions, sont ancrés et renforcés par les pratiques de ses membres qui leur donnent sens, y compris celles qui sont absurdes ou contradictoires – leur permettant de rendre justifiables en leur nom certaines actions qui sont douloureuses, problématiques ou incompréhensibles (comme la trahison, la mutilation, le combat avec un vampire en ayant été droguée, sans défense, etc.).

C'est peut-être là aussi un message critique, en tout cas de distanciation qui se dégage de l'épisode à destination de son public d'adolescents, capables de la même lucidité que Buffy lorsqu'elle adresse son fameux « mords-moi » au président du Conseil, lui signalant par là son désaccord profond et son mépris face à la machination construite au nom du *business* que représente la guerre, et pour laquelle elle sert d'instrument. En effet, comme le souligne Quentin, dans une institution en guerre, il n'est pas question de savoir si l'épreuve qu'a subie Buffy est juste ou injuste, car la guerre contre le Mal justifie tout : « Tu trouves cette épreuve injuste ? Mais il ne s'agit pas de justice. Nous sommes en guerre. » L'épisode se clôt de manière pessimiste, mais la conclusion sonne en creux. Ne fournit-il pas par là une critique implicite de la guerre, de ses principes absurdes, dont la seule explication valable est justifiée par la tradition et ses valeurs, telle la culture professionnalisante qui crée une illusion d'autonomie, de bien suprême ou de lutte contre le mal[124] ?

NOTES

106. Voir É. Durkheim, *Les Formes élémentaires de la vie religieuse* [1912], Paris, PUF, 1960 ; A. Rawls, « La théorie de la connaissance de Durkheim, un aspect négligé de son œuvre », *Enquête, Naturalisme versus Constructivisme*, sous la dir. de M. de Fornel et C. Lemieux, Paris, Éd. EHESS, 2007.

107. Voir l'article précédent pour une présentation de cette notion.

108. On peut le définir succinctement comme possédant un sens ambigu suscitant l'effroi, l'angoisse et l'épouvante aussi bien que la familiarité, l'intime, ou encore ce qui est légèrement différent, attrayant ou « complexe ». Selon Freud, un « complexe » est ce qui exerce son influence en un sens esthétique et relatif aux conditions et aux situations d'émergence du sentiment d'étrangeté. Voir S. Freud, « L'inquiétante étrangeté » [1919], in *L'Inquiétante Étrangeté et autres essais*, Paris, Gallimard, coll. « Folio », 1985.

109. Voir K. Burke, *Permanence and Change: An Anatomy of Purpose*, Indianapolis, The Bobbs-Merrill Company Inc., 1965 ; ainsi que D.R. Watson, « The textual representation of Nacirema culture », *Manchester Sociology Occasional Papers*, Manchester, Peter Halfpenny, 1992.

110. Michel Atkinson, « Some practical uses of "a natural life time" », *Human Studies* 3, p. 33.

111. É. Durkheim, *op. cit.*, p. 451.

112. H. Sacks, « Hotrodder: a Revolutionary Category », in G. Psathas (éd.), *Everyday Language: Studies in Ethnomethodology,* New York, Irvingston Publishers, 1979, p. 7-14.

113. É. Durkheim, *op. cit.*, p. 604.

114. Comme le souligne l'africaniste M. Houseman, du point de vue des participants, l'effectivité du rite constitue la part intégrale de ce sur quoi porte le rite. C'est particulièrement évident dans le cas des rites de passage dont l'exécution est explicitement tenue d'apporter le changement ; ou lorsque la transformation fournit le nécessaire

(et parfois suffisant) fondement pour entreprendre certaines activités distinctes, clamer certains droits et responsabilités, etc. (voir M. Houseman, « The Interactive Basis of Ritual Effectiveness in a Male Initiation Rite », in P. Boyer (éd.), *Cognitive Aspects of Religious Behaviour*, Cambridge, Cambridge University Press, 1993, p. 207-224).

115. J. Dewey, *Logique. La théorie de l'enquête* [1938], Paris, PUF, 1967, p. 170-171.

116. Voir H. Sacks, *op. cit.*

117. Voir K. Burke, *Permanence and Change, op. cit.* et D.R. Watson, 1992.

118. Harold Garfinkel, *Recherches en ethnométhodologie* [1967], Paris, PUF, 2007.

119. B. Brecht, *Écrits sur le théâtre* [1940], Paris, Gallimard, 2000, p. 896.

120. Voir E. Goffman, *Les Cadres de l'expérience*, Paris, Minuit, 1991.

121. Voir P. Bourdieu, « Les rites comme actes d'institution », *Actes de la recherche en sciences sociales*, 1982, n° 43, p. 58-63.

122. É. Durkheim, *op. cit.*, p. 605.

123. La notion de « *double bind* », ou « double contrainte », a été élaborée par G. Bateson pour décrire un dilemme de la communication dans lequel un individu ou un groupe reçoit deux ou plusieurs messages où l'un contredit l'autre ; ce qui crée une situation dans laquelle la réponse satisfaisante à l'un implique forcément une réponse incorrecte à l'autre, de manière que quoi que fasse la personne, elle aura tort. La personne se trouve alors dans une situation de blocage (voir G. Bateson, *Vers une écologie de l'esprit*, Paris, Seuil, 1977).

124. Ce texte a bénéficié de discussions enrichissantes avec Michel Barthélémy que je remercie pour ses précieux conseils et idées d'analyse pour cet épisode. Merci également à Gabriel Franck pour sa relecture attentive du texte.

ICI-BAS ET ENCORE PLUS BAS : LA PROJECTION EMPATHIQUE DANS *BUFFY THE VAMPIRE SLAYER*

JEROEN GERRITS

Dans cet essai, je propose d'envisager *Buffy* comme traitant de la question de la projection empathique. Je vais m'appuyer sur l'analyse d'un épisode clé pour interroger ce que cela signifie d'accorder le statut d'humain à d'autres, et plus encore, ce que cela signifie de retenir cette possibilité de projection.

Le titre de cet essai – « Ici-bas et encore plus bas » – vient d'une explication que Joss Whedon a donnée du concept de *Buffy*, qu'il décrit comme « *My So-Called Life meets The X-Files* ».

My So-Called Life est une série télévisée diffusée par ABC en 1994-1995. Elle a donc duré seulement une saison – ce qu'ABC a fini par regretter. Elle est malgré cela considérée comme une série culte et est même mieux évaluée que *Buffy* sur certains sites populaires comme IMDB. *My So-Called Life* est un drame réaliste qui prend pour cadre un lycée et dont l'« héroïne » est une étudiante ordinaire de quinze ans, Angela Chase. Le récit traite de problèmes actuels ou en tout cas reconnaissables par un adolescent, et qui se développent au fil des épisodes.

J'appelle cet aspect quotidien « l'ici-bas », ou *the low* en anglais, un terme qu'Emerson utilise dans l'essai « Self-Reliance[125] » avec « le près » (*the near*) et l'ordinaire (*the common*), comme opposés au sublime et à la beauté.

À l'opposé en termes de genre fictionnel, Chris Carter, créateur de *The X-Files*, a introduit le principe du « monstre de la semaine » (« *monster of the week* »). Comme *My So-Called Life*, *X-Files* développe un récit principal au fil de ses épisodes, les « monstres de la semaine » ajoutant suspens et possibilité de résolution dramatique à chaque épisode individuel. De la même manière, on trouve dans *Buffy* des « monstres de la saison », généralement appelés « *Big Bad* » (« Grands Méchants », avec une insinuation phallique), incarnés successivement par « The Master », Drusilla, le maire Wilkins, Adam, Gloria, Warren, et « The First One ». Avec les « monstres de la semaine », qui servent ordinairement de métaphores des anxiétés adolescentes, ces êtres issus de la Bouche de l'Enfer permettent à Buffy de jouer le rôle d'une vraie héroïne. Observant avec Stanley Cavell que la limite au fond de l'humanité est indiquée par l'horreur, j'ai appelé ce facteur *X-Files* « l'encore plus bas[126] » ; mais il faut noter que la limite au fond est encore une limite *de* l'humanité – seul ce qui est humain peut aussi être inhumain, comme le dit Cavell. Chez *Buffy*, l'action a souvent lieu dans ces régions-frontières, et il reste à voir ce que cela veut dire de *tracer la limite*.

Voici en effet un exemple d'action dans l'une de ces régions : la rencontre de Buffy avec Kathy, « monstre de la semaine » du deuxième épisode de la saison 4, un épisode dont le titre révélateur est « *Living Conditions* ». Les conditions de vie ou d'existence n'ont pas seulement rapport à la nouvelle situation dans laquelle Buffy se trouve quand elle commence ses études à UC Sunnydale. Conformément à la tradition américaine, elle partage une chambre avec une autre étudiante de première année, Kathy. Fille unique[127] de parents divorcés, Buffy a des difficultés à s'adapter à la personnalité de Kathy, en particulier à son côté maniaque. Les deux compagnes de chambre ont des goûts et des habitudes tout à fait différents, leurs sources de désaccord s'accumulent, et Buffy devient de plus en plus impatiente. Le point de non-retour est atteint lorsqu'un soir Kathy laisse traîner par terre ses rognures d'ongles, événement directement suivi par d'autres menus désagréments, la plupart du temps associés à un son (Kathy écale un œuf ou écoute des chansons sirupeuses à la radio, etc.) qui exaspèrent de plus en plus notre héroïne. N'étant plus capable de se concentrer sur son travail, Buffy finit par se coucher et rêve de démons qui aspirent une mystérieuse fumée orange de sa bouche.

Le lendemain matin, Buffy interrompt une conversation entre Kathy et sa meilleure amie Willow. Elle montre à cette dernière la preuve de la nature démoniaque de Kathy : ses rognures d'ongles… ce qui veut dire pour elle : des ongles maléfiques. Buffy fait en effet valoir qu'elle a mesuré ces ongles le soir précédent et le matin même, et constaté qu'ils avaient continué de pousser alors qu'ils avaient été coupés. Elle explique qu'il s'agit d'un indice de la nature démoniaque de Kathy, qui est mauvaise – et qui doit être tuée.

Plus Buffy insiste sur le fait que Kathy n'est pas seulement une « *sucky roomy* », mais un démon, plus le Scooby Gang soupçonne que Buffy est elle-même possédée par un démon. Mais en fait, les deux camps se trouvent avoir raison : Kathy s'avère un démon qui, dépourvu d'âme lui-même, était en train de voler celle de Buffy (comme en témoignait en fait le rêve évoqué plus haut). La nervosité de Buffy et ses réactions excessives étaient aussi des signes de la diminution de son humanité ; des effets secondaires, pour ainsi dire, du « *soul-sucking* » (aspiration de l'âme) dont elle était la victime. Buffy devient même si « inhumaine » qu'elle finit par arracher le visage de Kathy dans un affrontement, ce qui « révèle » littéralement le visage démoniaque de Kathy derrière son masque humain.

Cet épisode est animé par l'idée que le raisonnement ridicule de Buffy conduit pourtant à la bonne conclusion. Une erreur d'ordre logique est certes commise, mais le point important ici est surtout un problème d'ordre moral. Le fait que les ongles de Kathy continuent de croître quand ils ont été coupés apporte la preuve de sa nature démoniaque d'après Buffy, alors que d'après ses amis, l'insistance de cette dernière à ce sujet prouve surtout sa propre déraison, tandis que pour Giles, ce même fait peut constituer une preuve des deux aspects. De toute façon, Buffy doit être crue sur parole quand elle proclame avoir été capable de mesurer la croissance des ongles de Kathy au cours de la nuit, d'autant que nous ne sommes nous-mêmes pas en position de vérifier si des ongles qui croissent après avoir été coupés prouvent quoi que ce soit en matière d'existence démoniaque. Mais le point important est qu'il n'y avait, d'après les amis de Buffy, aucune bonne raison de douter de l'humanité de Kathy ; le fait que soit finalement confirmée sa nature démoniaque ne justifie pas que Buffy ait douté de son humanité.

Si cet épisode parodie les raisons de douter de l'humanité d'un autre, on peut aussi l'interpréter comme une façon de nous interroger sur ce qui nous permet de mettre en doute cette humanité. Je proposerais cependant de suivre une autre ligne de pensée, dessinée par Stanley Cavell dans *Les Voix de la raison*, lorsqu'il évoque à l'inverse la projection erronée d'une nature humaine :

> On this picture, the presence of mutants, zombies, androids, etc., would mean that I am almost certainly sometimes projecting humanness where it is inappropriate; certainly it would mean that I cannot be certain that I never am. But would this ever cause me to wonder whether I am ever right to project? The fact (so far at least) is that I do not doubt, anyway that I am not prey to skeptical doubt. The others do not vanish when a given case fails me[128].

Plutôt que de demander ce que pourrait être une raison suffisante de douter de l'humanité d'un autre, Cavell nous demande de poser la question de ce qui se passe quand notre projection d'humanité se révèle inappropriée. Il affirme que cela ne suscite pas de doute sceptique – *pour le moment*. C'est dire que le scepticisme concernant les autres esprits doit être distingué du scepticisme concernant les objets matériels. Ce dernier est fondé en effet sur le principe de l'inférence, comme dans le cas bien connu de Descartes, d'après lequel nos sens peuvent nous tromper tout le temps s'ils y ont réussi une fois. Ces inférences nous conduisent vers un point d'indiscernabilité : entre le rêve et la réalité, entre ce que nos yeux et ce qu'un méchant démon nous font croire, etc. La défaite du scepticisme concernant les objets matériels exigerait que nous trouvions des critères qui nous permettent de faire ces distinctions – mais ce n'est pas là une aspiration de Cavell.

Cavell veut plutôt dire que dans le cas du scepticisme concernant d'autres esprits (ou d'autres âmes), la distinction entre l'humain et l'inhumain n'est pas décisive. Il ne s'agit pas de dire que nous ne devrions pas faire ces distinctions ; nous les faisons tout le temps et, comme Cavell l'écrit dans une formulation paradoxale, nous « continuons à combler la fissure[129] ». Même quand je prends quelqu'un pour un être humain et qu'« il » se trouve être… eh bien, quelque chose d'autre (une démone avec une peau orange et des yeux jaunes et brillants par exemple), je ne me mets pas à douter de l'humanité de tout le monde autour de moi pour autant.

La capacité de reconnaître quelqu'un comme un être humain – une capacité que Cavell appelle « la projection empathique » – ne demande pas seulement l'identification *de* quelque chose, mais l'identification *avec* quelqu'un. La reconnaissance impliquée dans cette identification n'est ni celle grâce à laquelle on peut discriminer entre des choses (ce n'est pas ce qu'on appelle *Erkennen* en allemand) ni celle utilisée pour l'identification de quelque chose ou de quelqu'un comme le même (*Wiedererkennen*). La sorte de reconnaissance impliquée dans l'identification d'un autre être comme un être humain, celle que la langue allemande appelle *Anerkennen*, est plutôt celle dont ont besoin les citoyens et les gouvernements. Elle doit être attribuée, ou donnée (*granted* en anglais) : presque toujours la donne-t-on tacitement, mais presque toujours elle doit être donnée.

Or le but n'est pas ici qu'il n'y ait pas de scepticisme concernant d'autres esprits, mais que ce scepticisme prenne une autre forme. Dans *This New Yet Unapproachable*

America, Cavell fait la remarque suivante : « *There is no criterion for what does exhibit a form of life* », ou encore « *criteria do not and are not meant to assure the existence of, for example, states of consciousness*[130] ». C'est-à-dire qu'en l'absence de critères qui assurent l'existence de l'âme de l'autre, on nous demande d'attribuer cette existence. On ne peut pas savoir si cette projection est justifiée, mais il faut agir comme si on le savait. L'attribution, ou la reconnaissance de l'humanité de l'autre, est alors la même chose, paradoxalement, que l'acceptation de cette humanité. Cavell continue : « *We are not asked to accept, let us say, private property but separateness*[131]. »

Pour conclure, retournons à *Buffy*. Buffy n'a pas projeté d'humanité dans un cas inadapté ; elle a retenu cette possibilité de projection, et les faits lui ont donné raison. Cet acte de rétention, cette absence d'acceptation de l'âme de Kathy, lui permettait en effet de sauver sa propre âme – *pour le moment.* Je propose néanmoins d'interpréter la série comme une lutte de Buffy contre sa propre âme, contre sa propre « *So-Called Life* », un combat (pour revenir à Emerson) non pas contre l'encore *plus bas*, mais pour se rapprocher du *proche*[132].

NOTES

125. R.W. Emerson, « Self-Reliance », in *Essays: First Series*, 1841.

126. Stanley Cavell, *The Claim of Reason: Wittgenstein, Skepticism, Morality, and Tragedy*, NY: Oxford UP, 1979, p. 434 (ma traduction). Traduction française : *Les Voix de la raison : Wittgenstein, le scepticisme, la moralité et la tragédie* ; trad. de l'anglais par Sandra Laugier et Nicole Balso, Paris, Le Seuil, 1996.

127. À ce point de la série, ni Buffy ni le spectateur ne connaissent l'existence de Dawn, la sœur de Buffy, laquelle est créée *ex nihilo* et ne viendra jouer un rôle crucial qu'à partir de la saison 5.

128. Stanley Cavell, *op. cit.*, p. 425.

129. « *Continue to affix the seam* », *ibid.*

130. Stanley Cavell, *This New Yet Unapproachable America: Lectures after Emerson, after Wittgenstein*, Albuquerque, Living Batch Press, 1989, p. 44.

131. *Ibid.*, p. 45.

132. Merci à Nils F. Schott et Sylvie Allouche pour leur relecture de cet essai.

TROUVER SA VOIX –
BUFFY ET LES GENTLEMEN

JOCELYN BENOIST

En attendant Sookie

L'épisode 10 de la saison 4 de *Buffy*, « *Hush* » (en français : « Un silence de mort ») retient légitimement l'attention comme l'un des sommets de la série. Il est clair que quelque chose de particulier s'y joue, tant narrativement, dans l'évolution des personnages, que philosophiquement.

Pour apprécier ce moment de vérité à toute sa valeur, il faut le resituer dans le contexte de la série, et de sa saison 4 en particulier. Il faut d'abord partir de l'évidence : le thème de *Buffy*, série qui transcende le genre de la série de *teenagers*, c'est-à-dire qui tout à la fois l'accomplit et le porte à sa limite, est bien sûr le passage à l'âge adulte. De ce point de vue, le problème constitutif de la saison 4 est celui de savoir comment faire évoluer ce qui est prescrit par le genre, sans pour autant que la série s'arrête. *Buffy* est-il possible au-delà d'un univers de *teenager*, au sens le plus propre du terme : le lycée (*high school*) ?

À ce stade intervient le problème énorme, bien américain, de l'entrée au *College* (premier cycle univer-sitaire), fait sociologique fondamental, que *Buffy* est une des très rares séries à thématiser frontalement, nous montrant comment des adolescents vont devenir de jeunes adultes, en passant par ces limbes étranges du *College*. L'entrée au *College*, c'est l'arrachement au cocon familial, vécu alternativement comme une libération et un abandon. Le moment où on se retrouve en dehors de chez soi, sans être encore vraiment « adulte » – les *undergraduates* étant encore couramment considérés, dans les universités américaines, comme des « *babies* ». D'où la tentation du retour au nid, qui peut s'avérer difficile.

C'est ce qui apparaît bien au premier épisode de cette quatrième saison, lorsque Buffy revient chez elle, pour constater que sa mère a occupé sa chambre ! Tout cet épisode, intitulé « *The Freshman* » (« le première année », « le bizut ») du reste, est important de ce point de vue. Le problème est bien celui d'un passage : le monde qui était celui des trois premières saisons de la série n'est plus, et c'est irréversible, aucun retour n'est possible.

Dans le cas de Buffy, ce fait général prend une valeur particulière : dans ces conditions nouvelles, la Tueuse pourra-t-elle continuer à être une Tueuse ? Là où l'univers qui semblait en constituer le contexte naturel, celui de l'adolescence, s'enfuit, une telle forme de vie sera-t-elle encore possible ? Dans les premiers épisodes de la saison 4, l'héroïne se voit confrontée à un système de normes et de valeurs qui n'est plus le sien, où elle n'est plus adaptée. L'accès au *College* signifie aussi que sa normalité relative d'adolescente moyenne (qui est un aspect de son personnage de Tueuse : quelqu'un de tout à fait ordinaire pourvu de pouvoirs extraordinaires), dans un système élitiste, devient un handicap : elle est clairement déclassée par Willow, qui s'épanouit dans ces nouvelles conditions, faites pour les « bons élèves ».

Comment pourra-t-elle se réapproprier, trouver un sens à la poursuite de l'activité qui la constitue ? La question qui se pose à elle, celle du passage à l'âge adulte, n'est aucune autre que celle de *trouver sa voix*. Aussi Joss Whedon l'affronte-t-il magistralement en ces termes dans l'épisode axial (10 sur 22) de cette saison 4, qui est celle de la redéfinition des identités.

La mise en place de l'épisode nous renvoie, de façon diverse, à ce qu'on pourrait appeler la corruption ordinaire du langage, ou plutôt aux différentes figures de notre incapacité, ou mauvaise volonté, à lui donner un sens. Elle présente un univers de paroles, mais où nous ne sommes pas. D'un côté, il y a le bavardage (*chitchat*), qui revêt, dans le cas de la conversation avec Riley – figure de l'homme immature, qui, bien que *graduate*, n'a précisément pas réussi sa conversion –, la forme d'un insupportable « babillement » (*babble*), où l'essentiel (le désir des interlocuteurs) n'est pas dit. De l'autre, il y a le mensonge (*lie*), omniprésent, résultat inévitable du passage d'un monde dans un autre. Le problème du passage n'étant, à ce stade, pas encore résolu, la première partie de cette saison est placée sous le signe du *secret* : les personnages sont fondamentalement en situation de mensonge les uns par rapport aux autres. Chacun est renvoyé à l'intériorité supposée de sa conscience, à ce que « lui seul sait ». On parle, mais on n'est pas vraiment dans sa parole.

À la fin de l'épisode, tous les mensonges n'auront pas été surmontés. Cependant les personnages ne seront plus alors seulement en situation de parler, mais, bel et bien, de *se parler*.

D'un point de vue philosophique, le très grand intérêt de cet épisode réside dans l'espèce de « réduction » très particulière dont il est le théâtre : la *réduction de la voix*, qui apparaît comme la condition de la libération (de l'appropriation) de cette voix.

Au-delà de la dimension d'exercice formel de l'épisode (tourner un épisode très largement « muet »), dans lequel le réalisateur, encore une fois, prouve sa virtuosité, on rencontre bien là une forme de réduction phénoménologique : comme une mise en suspens de notre monde familier, en tant que monde humain. Comme dans la réduction phénoménologique, ce même monde en sortira révélé.

Il faut, bien sûr, de ce point de vue, relever la symétrie entre la suspension de la voix, dont « Un silence de mort » est le lieu, et cette intensification – qui est aussi une altération – que constitue son devenir *chant*, qui offre la matière d'un autre épisode clé de la série : « *Once More With Feeling* » (en français : « Que le spectacle commence »). Il est notable que Joss Whedon ait pu d'abord envisager de situer cet épisode musical – jouant, quant à lui, dans le genre de la « comédie musicale », comme « Un silence de mort » joue dans celui du film muet – précisément en ce tournant de la saison 4. Il y a renoncé pour des raisons contingentes – la sortie, au même moment, d'un épisode musical dans la série *Xena, princesse guerrière* – et a repoussé cet épisode dans la saison 6 (épisode 7 de la saison 6). Le fait que l'épisode silencieux s'y soit substitué, dans une forme d'équivalence, est hautement signifiant.

Dans « *Once More With Feeling* », un démon pousse les habitants de Sunnydale à chanter des chansons qui révèlent leurs secrets intimes et finissent par les détruire.

Cette possession de la voix est un moment de vérité. Ainsi, dans cet épisode, Xander et Anya, à leur corps défendant (ils sont possédés), en arrivent à exprimer dans les chansons qu'ils se trouvent forcés de chanter des doutes sur leur relation qu'ils ne formulaient pas dans le registre de la conversation.

Ici, au contraire, c'est le silence qui va révéler tout ce qui n'était pas dit. Cependant, dans les deux cas, il s'agit bien fondamentalement d'une *rupture de la conversation*.

Un épisode se présente, en quelque sorte, comme l'inverse de l'autre : dans « Que le spectacle commence », il s'agira d'une parole forcée, poussée au-delà d'elle-même dans le chant, qui n'est plus une parole, et dans laquelle on est exposé ; dans « Un silence de mort », il s'agit d'une parole retirée. Dans un cas comme dans l'autre, le sujet est mis à nu, que ce soit dans sa parole qui ne lui appartient plus (qu'il ne maîtrise plus), mais qu'il *est*, ou au contraire dans la perte de cette parole qu'il croyait contrôler et derrière laquelle il se déguisait.

« Un silence de mort » nous offre donc un coup de sonde dans un monde du silence. Une intervention extérieure, d'une violence extrême, a fait sauter l'écran du bavardage et, soudain, tous se sont tus. Cependant, quel est le résultat de cette opération ? Est-ce donc, par le suspens du langage, de nous livrer la vérité des « choses mêmes » ? Là où, au-delà des mots, les choses apparaîtraient, selon une révélation voulue plus profonde que le discours…

C'est là l'auto-interprétation proposée par Joss Whedon[133] – dont la métaphysique, comme celle de tous les créateurs de génie, pourrait bien ne pas toujours se montrer à la hauteur de sa création, si philosophique

que soit cette création, ou justement parce qu'elle est voulue philosophique[134].

En même temps, le fait que cette doctrine soit mise, dans l'ouverture de l'épisode, dans la bouche de la professeure Walsh, personnage qui exprime une certaine forme d'échec – celui de la science dans sa dimension inhumaine, « en troisième personne », et donc précisément en un certain sens « sans paroles » – devrait certainement nous conduire à la prendre *cum grano salis*.

> Parler de la communication.
> Parler du langage.
> Ce n'est pas là la même chose.

a énoncé la professeure Walsh, faisant miroiter ainsi l'horizon d'une communication non linguistique, supposée plus essentielle, ou en tout cas capable de véhiculer ce qui précisément ne peut l'être par la voie linguistique : ce qui se tient en dehors (en deçà?) du langage.

Dans cette entrée en matière philosophique de la professeure Walsh, on trouve en fait *deux choses*. En premier lieu, quelque chose comme une thèse *ineffabiliste*. On a affaire ici à un cas d'école, et la thèse est soutenue dans toute sa pureté, exactement telle que Bouveresse par exemple peut la critiquer dans *Le Mythe de l'intériorité*[135]. L'idée est celle d'un état natif de la pensée, qui précède le langage, qui en est *indépendant*, et qui excède sa capacité expressive. La professeure Walsh parle de « pensées et d'expériences pour lesquelles nous n'avons pas de mot ».

On trouve une variante de l'idée dans la thèse selon laquelle parler d'une chose et avoir l'accointance avec elle, en avoir la véritable expérience, ce n'est pas la même chose. Ce thème est réinstrumentalisé à la fin de l'épisode, dans le jugement porté par Tara et Willow sur le groupe Wicca :

Tara : Elles ne semblaient pas savoir…
Willow : Ce dont elles parlaient ?
Tara : Exactement. Je pense que si elles voyaient une sorcière, elles… s'enfuiraient !

Évidemment, la question que ne peut manquer de susciter cet ineffabilisme est de savoir *ce pour quoi* on n'a pas de mots. Tout comme chez Wittgenstein, on peut s'interroger sur la signification réelle de ce « privé » autour duquel se tisse le mythe du langage privé, qui s'identifie d'abord au mythe d'une essentielle privauté par rapport au langage. Il est clair que la charge psychanalytique de ce « silence », ici, est forte : le problème de l'épisode, comme à bien des égards de la série en général, c'est le dépassement du fantasme d'une silencieuse pénétration, qui aurait fait l'économie de la parole.

Très concrètement, l'ineffable, ici, revêt d'abord la figure d'un désir inavouable, mis en scène dans l'ouverture : se faire embrasser par Riley. Pour voir ce désir, il faut une *démonstration* : ce qu'on ne peut *dire*, il faut le *montrer*. C'est ce que le rêve de Buffy, où elle est « appelée au tableau », réalise :

– Une démonstration. Buffy Summers !

Cette scène onirique de « passage à l'acte », où l'acte relaie la parole, constitue un moment de révélation, d'exposition. C'est une exhibition, dans tous les sens du terme, qui a l'impudeur du rêve. Cependant, cette vérité clandestine s'effondre dans le secret, puisque ce baiser « fait descendre le soleil » (*makes the sun go down*), et amène la nuit qui anticipe celle où les voix seront retirées, renvoyant ce qui a été ainsi entrevu au non-dit.

La *seconde* idée présente dans le discours de la professeure Walsh est que, en ce défaut même du langage, la communication va au-delà, et prend le relais. Là où le langage disparaîtra, les êtres seront capables de se communiquer ce que les mots ne leur permettaient pas de se signifier, voire leur permettaient de ne pas se signifier.

Or, par rapport à cette idée (reprise par Joss Whedon dans le commentaire audio), il faut certainement marquer plus qu'une nuance – d'une façon qui remet en question aussi bien la première idée précédemment introduite. Que quelque chose se joue dans la communication non verbale, qui n'aurait pas pu passer autrement, c'est là la leçon de tout l'épisode, et c'est certainement vrai. D'un autre côté, cette communication non verbale n'aura de sens que si, en définitive, le langage revient. Sinon, ce sera *comme si rien ne s'était passé*.

De ce point de vue, il est important de souligner le caractère fortement onirique, donc déréalisé, de l'épisode, qui commence par une scène de rêve, mais a de toute façon, dans l'ensemble, le style et la modalité d'un rêve. En ce sens, la vision d'Olivia, lorsque, à la fenêtre, dans la nuit, elle voit passer les « gentlemen », définit très exactement le registre visuel de l'épisode. Il est bien évident, du reste, que les gentlemen sont essentiellement des créatures qui appartiennent à l'univers du cauchemar.

Le problème, dès lors, c'est de se réapproprier le rêve, d'assumer son effet de réalité. Et ceci ne pourra se faire que par le discours – comme on le voit à la fin de l'épisode dans la tentative maladroite d'«analyse *post-mortem*» à laquelle se livrent Tara et Willow.

Ce caractère globalement «onirique» du récit appelle une remarque supplémentaire : il s'agit, dans l'économie de la série, d'un épisode extrêmement singulier. L'un de ceux qui marquent et dont on se souvient, mais pas nécessairement comme représentatif de la série. Stylistiquement, il ne répond pas au type. C'est donc, aussi bien, qu'il s'y joue quelque chose d'extrêmement important.

L'enjeu, narrativement, se situe tout d'abord entre Buffy et Riley. Il s'agit du premier amour humain sérieux de Buffy, donc, en un certain sens, de son premier amour «réaliste» : un niais gentil et d'une effrayante fadeur, quelles que soient les tentatives ni convaincantes ni convaincues faites pour l'héroïser ; pour ainsi dire le contraire du ténébreux Angel. «*Fortune favors the brave*», la fortune sourit aux audacieux, répète Riley pour se donner – sans y parvenir – le courage de l'aveu. Ce faisant, il reflète l'absence générale de bravoure qui caractérise cette vie réelle.

Ce qui est donc en question, sur ce plan, c'est bien le passage à l'âge adulte. Renoncer à l'amour impossible et se placer sur le plan du *possible*. Le possible, cependant, est compliqué, car il suppose la sincérité – ou en tout cas un minimum de sincérité. Comment parvenir à la sortie de la «mythomanie» de l'adolescence pour arriver à une relation «normale» – c'est-à-dire la plus normale qui soit possible dans cet univers anormal ?

Hautement intéressant est le fait que cet accès à la prose du monde – qui ne peut être que très temporaire, dans cette série – passe par un retour à l'enfance, incarné par l'apparition de la petite fille, sur laquelle vient se briser le rêve, au début de l'épisode. Et en effet, le style général de cet épisode singulier, dans une série qui est typiquement une série, voire *la* série, de l'adolescence, a quelque chose de délibérément enfantin. L'univers qui y est déployé, en contraste avec celui auquel nous confronte le reste de la série (qui tient plus d'un intermédiaire entre le gothique pour ados et le jeu de rôles), est celui des contes de Grimm – l'histoire des cœurs arrachés par exemple, renvoie clairement à ce genre. Les gentlemen sont des monstres de contes de fées, plus que des « vilains » de *Buffy*. Et comme tels, c'est à l'enfant en nous qu'ils font peur – d'où la puissance de l'épisode qui, certainement, nous marque.

L'irruption de l'enfance, dans ce monde d'ados, constitue clairement une menace. Ce n'est pas tout à fait un hapax dans la série : on peut penser ici à la figure de l'« *Anointed One* » à la fin de la saison 1, dont le fait qu'il revêt les traits d'un enfant perturbe profondément Buffy, en en faisant un adversaire hors du commun.

Cependant, la menace prend ici une intensité et une signification particulières car cette « petite fille » qu'elle voit au début dans son rêve, *c'est elle*. Et c'est contre elle-même qu'elle va devoir jouer : contre les peurs de l'enfance qui, sous le vernis de la superficialité adolescente, demeurent. En un certain sens, il va s'agir de s'en extirper, de s'en libérer. En un autre, ce ne sera possible précisément qu'en redevenant enfant, en redevenant capable de jouer un autre jeu que celui de la Tueuse, créature typiquement adolescente, et de crier, d'appeler à l'aide comme un enfant.

L'apparition improbable de la petite fille, qui est précisément le moment où le rêve, sa cohérence s'effilochant, bascule dans la pure apparition, communique une peur enfantine. Sa comptine (forme éminemment enfantine), qui surgit pour ainsi dire de nulle part, avec l'étrangeté d'une voix dont on n'identifie pas tout de suite la source (une voix sans *Self*, là où l'épisode va nous confronter à l'horreur de *Selves* sans voix), nous renvoie à la peur du noir, du silence et de la nuit.

Et c'est en effet une des dimensions les plus archaïques de l'enfance qui est touchée dans cet épisode : la *Hilflosigkeit* de l'enfant, mise en images de façon traumatisante dans le sacrifice du jeune garçon auquel les gentlemen arrachent le cœur alors qu'il est réduit à l'impuissance : *il ne peut pas appeler*. On retrouve ici le fantasme originaire de la passivité absolue : *ne même pas pouvoir appeler « maman ! »*. Fantasme d'abandon absolu qui peuple les cauchemars de tout enfant.

Mais cette peur archaïque, n'est-ce pas aussi bien celle de Buffy, à ce moment ? Être chassée de la maison, s'y heurter à une étrangère en la personne de sa mère. Face à l'épreuve du passage à l'âge adulte, l'adolescent(e) se retrouve enfant. Cette détresse se cristallise dans le paradoxe d'un *cri silencieux* :

— Tu mourras en criant – mais personne ne t'entendra.

Ce qui est intéressant dans cette formule, c'est l'idée d'un cri qui n'est pas une parole, qui ne sort pas, et qui demeure radicalement inaudible par l'Autre. Un cri qui, en quelque sorte, n'est plus fait pour être entendu.

Ce cri sans réponse, cette détresse, constitue une figure mythique, d'une puissance extrême, de l'intériorité pure, dans son dénuement constitutif. Ce qui a été volé au sujet-patient de cette affreuse expérience, c'est sa *voix*, c'est-à-dire sa capacité d'expression *publique*. Lui reste alors sa « voix » intérieure, qui est celle d'un cri « pur », dont le récepteur a été suspendu, et qui n'est donc plus de l'ordre de ce que Whedon et la professeure Walsh appellent « la communication ».

En un certain sens, ce qui est décrit ainsi, dans la perte du sens propre, ordinaire, de la voix, ce n'est rien d'autre que ce que Derrida commentant le Husserl de la première *Recherche Logique* appelle précisément « voix » : cette proféraction du sens *intrinsèque* et privée qui serait plus essentielle que toute communication et indépendante d'elle. Me reste, de toute façon, « mon cri » et c'est ce cogito de la souffrance que performe silencieusement la victime à laquelle on arrache le cœur, la fonction d'appel ayant été détruite.

Or, ce que montre bien l'épisode, par sa mise en scène cauchemardesque, c'est qu'une telle « voix » essentielle, solitaire, est une voix aliénée, fantôme d'elle-même en quelque sorte. Une « voix intérieure » (c'est-à-dire : purement intérieure), c'est une voix morte.

Le trauma a, certainement, une dimension libératoire. L'altération radicale représentée par la perte de la parole désactive l'espace du bavardage dans lequel les personnages étaient englués, prisonniers de leur rôle. Ainsi, après le rêve prémonitoire de Buffy, Riley lui dit :

— Raconte-moi donc ton rêve. En tant qu'étudiant ayant une majeure en psycho *(as a psych major)* je suis qualifié.

comme si c'était ès qualité qu'il allait lui délivrer la vérité de son rêve – là où ce rêve, à charge érotique intense, concerne précisément leur rapport, mais il ne le sait pas, ou peut-être s'en doute mais ne veut pas ou n'ose pas le savoir. Il tourne autour de la vérité, adoptant un régime de discours qui est celui du flirt, qui veut passer à côté du sérieux – et donc de la réalité – de la chose.

— Eh bien, apparaissais-je en quoi que ce soit dans ce rêve ? (avec une fatuité jouée)

Riley refuse de prendre sa propre demande au sérieux : il se soustrait, c'est-à-dire soustrait son propre désir à la question, sachant bien au fond que la meilleure solution pour ne pas être dans son désir est de le jouer, de le déréaliser.

On a affaire ici, comme dans l'ensemble du discours de Riley, au type même d'une parole non pleine, d'une parole où on n'est pas, parce qu'on ne veut pas y être. Mais c'est aussi bien Buffy que la fausseté de la situation met en porte-à-faux par rapport à son propre langage, entre *lapsus linguae* et jeux de mots vaseux et de l'ordre du *nonsense* par lesquels elle essaie de les recouvrir immédiatement (*patrolling/ petroleum*). Autant de figures de l'exténuation du discours. Au début de l'épisode, nous sommes confrontés, chez les deux principaux personnages, à une parole qui fuit de toute part. L'échange, de l'ordre du *small talk*, ne sert qu'à meubler la gêne, et à ménager l'impossibilité de s'embrasser. Il s'achève par le mensonge plutôt piteux, relevé par Buffy, des *papers* à corriger imaginaires de Riley.

Du côté de l'autre couple qui fonctionne en contre-point dans cet épisode, Anya reproche à Xander un défaut de communication, de *discours*. Xander pourtant lui dit qu'il *cares about her*; mais cela ne suffit pas : encore faut-il le *discours du* care. Anya veut savoir *combien* (*how much*) et *comment* il *cares about her*; elle veut que Xander soit capable de mettre cela en mots, c'est-à-dire aussi bien de le faire exister proprement comme un amour. La question est bien une question de signification, *meaning*, au sens le plus fort que peut prendre ce terme :

— *What do I mean to you?*

À l'interpellé, s'il le peut, de constituer cette signification, c'est-à-dire de signifier vraiment, d'être dans sa signification, là où il répond. Le tout est précisément d'arriver au point où l'on devient capable de répondre, c'est-à-dire d'accepter que ce que l'on réplique constitue une réponse, comme telle livrée à l'Autre. Ce que Xander, prototype depuis le début de la série du mâle immature, n'arrive bien sûr pas à faire.

Symptomatiquement, il se réfugie alors derrière le mythe de la conscience privée, toujours expression du *refus de signifier*.

— Si tu ne sais pas ce que j'éprouve...

(sous-entendu : alors, il n'y a rien à te dire).

Il s'agit là du modèle même de l'énoncé de mauvaise foi. Car il est certaines choses qu'il n'y a de sens d'attribuer à la conscience de l'Autre que là précisément *où il les dit*, et un certain sens de l'amour certainement en fait partie. S'il ne les dit pas, il n'y a « rien ».

L'épisode sera pourtant en un sens le lieu de la révélation silencieuse des sentiments de Xander, dans son comportement lorsqu'il croit Anya en danger. Il trouve là, contre ses refus de dire ou son incapacité à dire donc à se définir, comme son moment de vérité. La suite de la série montrera toutefois le point auquel ses réticences (au sens étymologique et rigoureux du terme) n'avaient rien de contingent, et le point auquel la signification de la preuve par l'action, instruite par cet épisode, pouvait demeurer équivoque. Anya avait raison de se poser ces questions et sa demande, sous son intransigeance apparente, était légitime.

Le rapport d'Anya au discours, sur un mode symétrique et opposé du mode masculin (éviter de parler), a cependant également quelque chose de pathologique. Comme Xander, qui en joue, le fait remarquer, elle ne respecte pas la limite du public et du privé, entendue non plus comme limite radicale du langage (de ce qui peut être dit *versus* ce qui ne peut l'être) mais comme celle entre deux types de conversations. En un certain sens, l'univers d'Anya, qui porte la marque de sa longue phase d'inhumanité – elle fut un démon pendant des siècles –, constitue une image inversée de celui des gentlemen : là où ceux-ci imposent le silence, elle veut que rien ne soit tu, tout y est strictement public.

Cette parole sans retrait, où tout est exposé à tout le monde, ne correspond pas non plus à ce que nous appelons « parole » ordinairement. Pouvoir dire, c'est essentiellement pouvoir *dire à certains*, leur dire ce que nous ne dirions pas nécessairement à tous, c'est là le sens même de ce que nous appelons « conversation ». Or l'usage qu'Anya fait du discours, tout en extériorité, est radicalement non conversationnel. D'où le fait qu'elle soit

139

constamment dans une forme d'impropriété (*infelicity*). L'absence de pudeur, de silence d'Anya exténue sa parole, qui n'a plus la réserve nécessaire pour ménager la place d'un interlocuteur.

Évidemment, un des aspects cruciaux du discours d'Anya, en tant que discours démonique, donc discours de vérité, mais qui manque les *conditions humaines de cette vérité*, c'est qu'il parle de sexe, cela avec une crudité qui contraste avec les silences des adolescents pudibonds que sont les héros de la série. Anya notamment viole un tabou majeur. Elle parle de la sexualité des adultes et énonce ce qui constitue une des grandes découvertes de l'épisode, comme telle inacceptable : Giles a une vie sexuelle. Il a ce qu'Anya appelle sur un mode purement descriptif – donc tout à fait inapproprié – *an orgasm friend*.

À ce niveau aussi, avec un adolescent attardé comme Giles, dont tout le personnage tient dans l'incapacité à jouer le rôle d'un père, le risque du bavardage existe. Cependant la femme (Olivia) sait le faire cesser :

— Bon. Assez de *small talk* ! Qu'en penses-tu ?

Mise devant l'évidence, Buffy dit à Giles, dégoûtée : « Mais vous êtes vieux ! » L'existence d'une vie sexuelle des adultes est vécue par ces adolescents comme un véritable tabou. Pourtant cet épisode, de façon inattendue, la révèle : car ce qui est précisément en jeu au tournant de cette saison, c'est l'accès à ce monde « des adultes ».

Dans la série des pathologies de la parole, dont la mise en place de l'épisode nous dresse un tableau assez exhaustif, il y a le silence de Tara, personnage réfugié dans le mutisme, car il *bégaie*: il ne s'assume pas – porte le double secret de sa sexualité lesbienne et de ses talents de sorcière – et n'ose pas se dire. À ce silence du *secret* s'oppose le baratin superficiel et insupportable du pseudo-groupe d'apprenties sorcières – le *wicca group* –, qui ont substitué le *talk* (« *they're all talking* ») au *spell*. Il faut ici mettre en contraste la simple fonction phatique du *talk*, qui ne fait qu'entretenir et maintenir le circuit de la communication et la dimension perlocutoire de l'enchantement (*spell*) qui est *parole réelle* (Willow y a insisté : il s'agit bien de « *real spell* ») produisant comme telle ses propres effets de réalité.

Cette situation de départ témoigne d'un dysfonctionnement généralisé de la parole : en défaut ou en excès, de telle façon qu'au fond aucun locuteur n'y est vraiment, toujours en décalage par rapport à elle, qu'elle lui manque ou qu'elle le recouvre, et l'empêche d'être lui-même. Elle va être radicalement modifiée par le passage des gentlemen. Cette expérience traumatique induit une forme d'altération extrêmement profonde, qui atteint l'individu au cœur de lui-même et transforme définitivement le rapport qu'il entretient à sa propre parole.

La perte de la voix est ici clairement assimilée à celle d'une âme : c'est ce qu'évoque le symbolisme du souffle qui échappe aux lèvres des dormeurs. Les patients de cette terrible expérience sont privés de leurs voix, ou plus précisément : de l'extériorisation de leurs voix, mais, en un certain sens, ils parlent. Ils sont tout simplement « muets » au sens latin du terme : ils font du bruit. C'est au point que, au tout début, on entend Willow dire *en sourdine* :

Je suis sourde. Je suis devenue sourde.

De ce point de vue, la comptine initiale semble d'abord ne pas être tout à fait exacte : il n'est pas vrai que les victimes ne « puissent même pas pleurer ». Le premier signe de la catastrophe, c'est l'étudiante traversant le couloir du dortoir dans la plus grande agitation *en pleurant*. Cependant, en réalité, le récit est parfaitement cohérent : ses pleurs, en effet, ne sont pas adressés à autrui, ne peuvent pas l'être. Sa voix, comme celle de tous les autres, a été rendue silencieuse. Et, en ce sens, la voix, c'est même les pleurs. Même eux ne « parlent » pas.

Ce à quoi on assiste, dans ce lever onirique, qui installe l'épisode dans ce qui sera son registre expérimental de film muet, ce n'est donc pas tant à une suppression de la voix en tant que phénomène physique qu'à sa *neutralisation*, sa *suppression en tant que voix*. La suppression, pour ainsi dire, de *l'efficacité du discours*.

Les agents vont dès lors s'acharner à lui trouver un certain nombre de substituts informationnels :
- la télévision ;
- les billets écrits (*written statements*) ;
- la voix synthétique de l'ordinateur de l'Initiative ;
- le disque (idée avancée par Willow).

Au-delà de ces substituts, qui plutôt que d'effectuer une communication, la *représentent*, reste la solution du contact. Et en effet la perte du discours force ce contact d'une telle façon que, dans la progression dramatique de la série, cet épisode devient le lieu de cette transgression : ainsi lorsqu'ils tombent nez à nez dans la rue, Riley, pour la première fois, embrasse Buffy. Le silence les a réunis et a forcé ce premier baiser, qui paraissait impossible encore au début de l'épisode. Il ne leur restait en quelque sorte que cela pour communiquer.

En même temps, en l'absence de tout discours, on ne peut pas ne pas se poser la question : ce baiser est-il authentique ? Il est très facile de l'interpréter, selon les circonstances dans lesquelles il intervient comme selon sa modalité, comme un baiser de solidarité. Le problème qui est donc laissé en suspens par le silence central de l'épisode, est, quelle que soit l'importance de ce premier baiser, celui de sa *signification*. Pour qu'il en ait une, il faudra vouloir lui en donner une, et cela ne pourra se faire que par la parole – la parole assumée dans l'interlocution avec l'Autre.

De ce point de vue, la situation de Buffy et Riley n'est pas si différente de celle d'Anya et Xander. L'impossibilité même de communiquer normalement et la vulnérabilité qui en résulte pour chacun, isolé face au danger, puisqu'il ne peut « appeler », conduit Xander à révéler l'attachement véritable qu'il a pour Anya, qu'il croit attaquée par Spike. Mais pour revêtir sa véritable *signification*, amoureuse ou non, un tel geste requerra un commentaire, qui est à venir.

Au fond la seule exception véritable à ce *pattern* est peut-être constituée par le charme dans lequel les mains de Willow et Tara se touchent, où il passe effectivement quelque chose, quelque chose d'absolument, parce que doublement, singulier : sorcellerie et lesbianité à la fois. S'il y a là comme une forme de moment de vérité – et Tara et Willow seront probablement les personnages qui sortiront de l'épisode le plus réellement révélés à eux-mêmes – c'est probablement qu'il y a là quelque chose d'effectivement réellement difficile à dire avec les mots dont elles disposent : ceux de la tribu.

Bien sûr, au cœur de l'épisode figure ce morceau d'anthologie qu'est la présentation au rétroprojecteur

– aujourd'hui ce serait en Powerpoint, mais la désuétude fait aussi alors partie de la mise en scène – du plan de Giles. On y trouverait en quelque sorte l'exemple parfait d'une *communication sans voix*. Cependant on ne peut précisément ignorer le caractère intrinsèquement parodique de l'exercice. Le genre est celui de la *répétition*. C'est dire que tout ce qui apparaît là est *joué, représenté*. Le mime s'oppose ici au *faire* – au sens de : faire réellement.

Les protagonistes font étalage de leur adolescence au cours de cette représentation. Ils sont goguenards devant ce qu'ils perçoivent comme *infantile* – et qui l'est bien en un sens, puisqu'il s'agit d'un conte pour enfants. Leurs réactions se situent toutes dans un registre gras et scabreux. L'objectif est fixé préférentiellement sur Xander, qui est le personnage du mâle immature. De son côté, Anya, blasée, avachie, mangeant des chips, incarne l'adolescent(e) américain(e) typique pendant une projection en classe.

Les mésinterprétations tendancieuses, d'adolescent obsédé, de Xander constituent le ressort comique de la scène. Là où les filles désignent leur cœur, il comprend bien sûr *boobs*, les nichons. Lorsque Buffy imprime à son pieu un va-et-vient frénétique pour suggérer une solution possible au problème des gentlemen, il demeure interdit par l'obscénité supposée d'un geste qui l'interpelle dans sa masculinité adolescente. Décidément, *le langage des gestes ne suffit pas*. Comme le dit le script, le geste de Buffy « *doesn't read the way she intended* ». Il y a loin du geste à l'intention qu'il est censé exprimer, et le problème du geste est qu'il ne peut pas s'expliciter, parler pour lui-même.

La leçon de cette parfaite mise en scène, qui montre en un sens combien on peut, par des stratégies de communication indirecte (de *représentation*), aller loin dans la suppléance de la parole, c'est donc en dernier ressort que de tels dispositifs, si sophistiqués soient-ils, échouent. Et c'est en effet bien là-dessus que s'achève la saynète, avec l'échec de l'hypothèse du disque, avancée par Willow : non, *seule une vraie voix humaine* (*only a real human voice*) pourra vaincre les gentlemen.

Le véritable problème de l'épisode, ce n'est donc pas de perdre la voix, et de parvenir ainsi à un niveau de communication directe, « en deçà » du langage, mais c'est bien de la *retrouver*, retrouvant ainsi notre réalité propre, au-delà tout à la fois du conte et de la représentation – qui constituent eux-mêmes des pôles différents : le premier comme une sorte de remontée de l'originaire (enfantin) en nous ; la seconde comme la défense que nous élaborons contre une telle remontée, en réduisant tout de façon adolescente à un spectacle.

La solution proposée par la mise en scène elle-même paraît éminemment infantile. Elle relève clairement du conte de fées, avec son prétérit constitutif :

Une fois la princesse cria et ils moururent tous.

Dans ces termes, la difficulté paraît tout à fait insoluble. Car Buffy *n'est pas* une princesse. C'est-à-dire qu'elle voit essentiellement les choses sur un mode sur lequel une princesse ne les verrait pas : celui de l'adolescente américaine qu'elle est, aussi bien, et surtout de la Tueuse qui a l'expérience du mal et pour lequel il est quasiment un problème technique à résoudre : comment tuer ? Donc la question, narrativement et métaphysiquement, c'est : *comment la transformer en princesse* (de conte de fées) ?

Or à cela la réponse est très simple : l'unique solution est de *la transformer en son contraire* – un contraire qui en réalité l'habite et ne lui est pas étranger bien sûr, mais qu'il va s'agir de pousser à bout et de faire ressortir, de révéler.

Une certaine lecture féministe de Buffy insiste sur le caractère fondamentalement actif du personnage, qui *kicks asses*, et dont on se plaira donc à dire, selon un cliché pseudo-spinoziste qui a cours dans un certain milieu, qu'il « affirme sa puissance d'agir ». Il y a, certainement, un fond de vérité là-dedans (même si, certainement pas *toute* la vérité de Buffy ; sinon, ce ne serait pas très intéressant). Dans cet épisode, cependant, Buffy, ou cet aspect-là du personnage de Buffy, est acculé à son contraire : à la *passivité* la plus essentielle. C'est là et là seulement, en pâtissant, à deux doigts d'être sacrifiée, qu'elle retrouvera sa voix, et non en distribuant des coups de pieu.

Du reste, qu'est-ce que cette voix qu'elle retrouve, cette voix « de princesse » (de conte de fées), si ce n'est un *appel*, un appel à l'aide qui, comme tel, appelle un prince charmant ? Certes il y aurait beaucoup à dire sur celui-ci. Riley « le grand dadais », est, comme les hommes en général, dans cette série féministe, un peu, voire très miteux, et n'est pas vraiment à la hauteur. Il n'est pas plus un prince que Buffy n'est une princesse, et plutôt beaucoup moins.

Cependant l'important est que, pour retrouver sa voix, et ainsi *se* retrouver, Buffy a dû accepter d'être en position d'appeler à l'aide, d'avoir besoin de l'Autre. Elle s'est retrouvée dans le rôle contre lequel le sien, celui de la Tueuse, s'est construit depuis le début : celui de la « demoiselle en détresse ».

D'autre part, cette voix, qui est un appel, est aussi et d'abord un *cri*. Or qu'est-ce qu'un cri (au sens de *screaming* et non *shouting*), si ce n'est quelque chose d'essentiellement passif : cela crie en nous, et nous y sommes. Comme une surpassivation de la voix. Là où, en quelque sorte, nous subissons notre propre voix : elle nous arrive, et *nous y arrivons à nous-mêmes*. Ce qui surgit de la bouche de Buffy en danger et réduite à l'*impuissance* (que l'on est loin, ici, de la « puissance d'agir » !), comme du tréfonds d'elle-même, c'est une voix d'enfant, comme un écho de celle de la petite fille au début. Une voix non jouée, pur *yelling* qui ne correspond pas à une intention ou un projet, mais qui n'est rien d'autre que cri *de fait*.

En réalité, c'est ici, et ici seulement, que, au-delà du jeu et de la pantomime, on touche cet en deçà du discours autour duquel tournait tout l'épisode sans parvenir à s'en approcher, sans doute parce que, formulée en certains termes (ceux d'une immédiateté de communication instrumentale ou de représentation, théâtralisée), sa question demeurait mal posée. Qu'y a-t-il *réellement* en deçà du discours, c'est-à-dire tel que *cela ait un sens* de l'opposer au discours ? Une telle condition suppose que la chose en question ait quelque chose à voir avec le discours, que tout à la fois il en ait besoin et qu'il l'occulte, au moins dans l'usage le plus commun que l'on fait de lui.

Cette chose qui apparaît dans ce contexte extrême, lorsque Buffy est allée jusqu'au bout de l'échec de la communication où on n'est pas, c'est la *voix*. Celle-ci comme telle n'est pas un instrument, la présence d'un sens, mais la présence là même où le sens est perdu, pour ainsi dire *en dépit du sens*. C'est dans ce dénuement extrême, qui est aussi une forme de nudité (nudité de la voix), que Buffy se retrouve. Et alors, comme par enchantement, tout le monde peut se remettre à parler. Mais cette parole a été rendue possible par un cri, donc par quelque chose qui n'est pas de l'ordre de la parole, mais comme son envers : la remontée en (et contre) elle de cette présence qu'elle efface et qu'elle a sans doute toujours aussi vocation à effacer.

Cela – crier – seule Buffy a pu le faire sans doute parce que précisément son personnage de Tueuse était à un certain niveau le plus incompatible avec le fait de se retrouver dans cette situation de vulnérabilité extrême, et donc donnait par là même à cette expérience la valeur d'une nouvelle épreuve et transgression, qu'elle ne pouvait avoir chez les autres. Ce faisant bien sûr, ce renversement apparent révèle ce qui constitue en fait un aspect structurel de son personnage : sa *fragilité* dont tout au long de la série il y a tant d'attestations. C'est en redevenant la petite fille qu'elle est au fond toujours aussi et en hurlant son cauchemar qu'elle parvient à s'en libérer et par là même aussi à liquider, pour autant que ce soit possible, le problème qui est le sien en cette saison : celui de la sortie de l'enfance. C'est en acceptant l'enfant en elle, de crier et d'appeler au secours, qu'elle le peut seulement, enfin. Dans cet épisode, qui constitue à ce titre comme le négatif photographique de l'épisode standard ritualisé de la série (un superméchant apparaît, Buffy semble vaincue, mais elle surmonte, et à la fin *kicks his ass*[136]), c'est par sa faiblesse – en allant jusqu'au bout de l'épreuve de sa faiblesse – et non par sa force que Buffy gagne.

Sous cette condition – accepter ce moment de passivité linguistique qu'est le cri, ou un certain cri, en tant que révélateur de la passivité qui constitue toujours *aussi* une dimension de notre rapport au langage – le véritable enjeu de l'épisode n'est certainement pas, en définitive, l'affirmation de la valeur supérieure de la communication non verbale ou quelque rejet du langage que ce soit. Il s'agit bien plutôt de mettre en scène une forme de *réappropriation du langage*, cela non pas par l'activité et une forme de spontanéisme (tel celui de qui parle à tout bout de champ, comme Anya), mais précisément par l'acceptation de cette passivité toujours *aussi* présente et de la difficulté qu'il y a à parler, qui constitue la condition fondamentale de toute parole *réelle*.

De ce point de vue, les séquences finales, qui déploient en quelques scènes l'univers de la parole retrouvée, sont d'une extrême importance, et constituent bien le véritable *télos* de l'épisode, au-delà du miracle de Buffy poussant un cri de princesse de conte de fées.

D'un côté on trouve celles pour lesquelles la magie du silence a en un sens fonctionné, et pour lesquelles « il n'est plus besoin de paroles ». Mais, paradoxalement, *cela se dit*, et tout est là.

> – *I know exactly what you mean,*

déclare Willow à Tara, dans une forme d'inversion explicite du drame de l'expression joué par Xander et Anya au début de l'épisode.

Un tel partage est fondé sur ce secret commun qui s'est noué au croisement de leurs doigts, et comme tel il peut, une fois énoncé (*I know exactly what you mean*), retrouver tout naturellement l'inscription corporelle qui est celle de sa *réalité*. Comme le porte le script :

The two share a sweet look – the beginning of a real connection.

La situation s'avère plus difficile là où fait défaut un tel secret, mais où on retrouve le cadre socialement reçu, mais pas pour autant exempt de répression ni de tabous, de l'hétérosexualité. La pointe de l'épisode tient dans la confrontation finale de Buffy et Riley.

– I guess we have to talk,

concède Riley. Ils s'asseyent et l'épisode s'achève sur un silence gêné, chargé de toutes les équivoques, celle de leur désir réciproque non assumé comme de tous leurs secrets (elle est la Tueuse ; il est au service d'une organisation scientifique à caractère paramilitaire qui, *apparemment,* a jusqu'à un certain point les mêmes objectifs que la Tueuse) qui ont été dévoilés dans l'apocalypse des derniers jours.

Reste à parler. C'est-à-dire que c'est le terrain sur lequel désormais se pose le problème – et le seul sur lequel il puisse se poser. L'épisode ne constitue donc pas, en ce sens, une apologie du silence, mais de la parole, ou en tout cas décline le constat de son indispensabilité. Il va bien falloir s'expliquer : accepter notre humaine condition, c'est précisément accepter cette nécessité de l'explication, contre laquelle nos discours comme nos silences, tant que nous n'y sommes pas, c'est-à-dire ne nous y reconnaissons pas exposés à l'Autre, édifient usuellement tant de barrières.

Ce ne sera ni gai ni facile. Ce n'est pas que, par le cri, Buffy soit devenue *sincère* au sens du mythe d'une «sincérité absolue», d'un «discours absolument vrai» – sans parler de Riley, qui n'en paraît guère capable et n'a pas connu l'épreuve de la surpassivité rédemptrice, mais n'en a été que l'adjuvant extérieur et dépassé. C'est que, dans l'assujettissement extrême, la confrontation avec la mort est pire que la mort : l'enfant qu'elle était et est, elle est devenue *sujet* : sujet de parole, décelé dans sa fragilité.

NOTES

133. *Cf.* le commentaire audio de l'épisode donné par Joss Whedon sur le DVD.

134. La métaphysique existentialiste de Joss Whedon apparaît bien dans l'épisode final non diffusé (mais présent sur l'édition DVD) de l'unique saison de l'une de ses autres séries, *Firefly*: "*Objects in Space*", qui appellerait un long commentaire.

135. Jacques Bouveresse, *Le Mythe de l'intériorité. Expérience, signification et langage privé*, Paris, Éd. de Minuit, 1976.

136. De ce point de vue, l'épisode 11 de la saison 7, «*Showtime*», où Buffy est confrontée à l'Uberwamp, a valeur exemplaire, dans une répétition parfaite, parodique et pédagogique (à destination des «potentielles») du paradigme.

3. Approches psychanalytiques

Sur la Bouche de l'Enfer. Sexualités de Buffy – « Ça vient d'en dessous, ça dévore tout »

Pascale Molinier

La première fois que j'ai vu Buffy Summers s'agiter sur un écran, je me suis dit qu'il se passait quelque chose de nouveau et d'excitant dans le domaine des séries pour adolescents. On aurait pu penser que ce n'était qu'une fille blonde bien roulée en train de faire des pirouettes de nuit dans un cimetière vraiment kitsch. Mais au premier regard, elle ne bougeait pas comme les autres filles. Quant à la manière dont elle faisait se volatiliser en poussière les vampires, c'était une façon astucieuse de styliser la violence avec pour avantage supplémentaire de mettre en scène un réjouissant fantasme d'omnipotence au féminin. « Pouf, que ceux qui m'embêtent, disparaissent ! » La baguette magique se trouvait opportunément remplacée par un pieu, il n'y avait plus de baisers sucrés, de boums stupides ou de blagues pour garçons boutonneux. Buffy était amoureuse d'un vampire.

L'action se passe à Sunnydale, petite ville posée sur une Bouche de l'Enfer. Et l'enfer est-il autre chose que le sexe ? Brûlant et dangereux comme la sexualité perverse au sens du Freud des *Trois Essais sur la théorie sexuelle* ou de Gayle Rubin dans *Marché au sexe*[137]. Si l'on suit cette double filiation théorique, la perversion perd sa connotation pathologique pour désigner l'ensemble des sexualités stigmatisées, sans connotation de désapprobation, de dégoût ou de refus. La perversion peut alors être relayée par le terme de *queer* dans le sens de *déviation par rapport à une norme socialement constituée*[138]. De ce point de vue aberrant ou tordu, non conforme aux destins reproductifs, *Buffy contre les vampires* est saturée de sexualités. Sexualités au pluriel pour désigner une variété incroyable d'obscurs objets du désir tous plus bizarres les uns que les autres, monstres, hyènes, zombies, robots, loups-garous, démons, sorcières, vampires…

MÉTAMORPHOSES VAMPIRIQUES ET PULSION SEXUELLE DE MORT

Les vampires, parlons-en. De crocs et de sang, leur réputation sexuelle n'est plus à faire. Dans *Buffy contre les vampires*, la transformation est initiée par une sorte de grognement d'animalité soudain débridée. D'un coup le visage se plisse, le nez remonte et les dents apparaissent, la face prend un aspect repoussant teinté de méchanceté et parfois de bêtise. Focalisées sur le visage, les métamorphoses vampiriques dévoilent ce que le cinéma X tend, pour sa part, à laisser en dehors du cadre. Les transformations sexuelles ne gonflent pas seulement le pénis. Les pupilles se dilatent, le sang afflue dans les lèvres… transformations à la fois excitantes et inquiétantes, qui signent un risque constant de débordement. Les vampires incarnent la sexualité dans son aspect démoniaque, comme compulsion à démolir la vie, ou force *décivilisatrice* qui se joue à travers la morsure, le sang, la mort, ou le passage à un état *autre* qui n'est plus tout à fait humain. Ce que Teresa de Lauretis appellerait « l'inhumain en soi » est ici vraiment représenté par des inhumains, vampires ou autres monstres, dont les héros de la série s'amourachent ou en lesquels ils se transforment[139].

Vampyr! Vieux fantasme remis à neuf. Le succès de la série *Buffy contre les vampires,* me semble-t-il, est venu de ce qu'elle réinterprète et réactualise pour les adolescents des fantasmes culturels qui sont l'équivalent de ceux que David Cronenberg a pu mettre en scène du côté de la sexualité hétérosexuelle adulte avec des films comme *Crash* ou *M. Butterfly.* Ceux-ci offrent une représentation du désir sexuel qui, une fois délivré de la boîte de Pandore du refoulement, ne connaît pas de borne, la sexualité humaine se distinguant de celle de l'animal, ainsi que l'a montré Jean Laplanche, en fonctionnant sur la recherche de l'augmentation de l'excitation. Le plaisir peut aller à l'encontre de l'autoconservation et du respect de la vie d'autrui[140]. La culminance du déchaînement sexuel dans la mort est le thème de *Crash* de David Cronenberg, où les protagonistes cherchent à surmonter le trauma d'un accident en érotisant la voiture qui devient le lieu réel ou fantasmé de l'acte sexuel, puis l'objet fétichisé de la jouissance. De scène en scène, la tension sexuelle doit être augmentée pour parvenir à la jouissance. Portes, vitres, coffre, comme doués d'une vie propre, se referment sur un jeu sexuel de plus en plus violent. L'érotisme de la cicatrice, de l'ecchymose et de la prothèse l'emporte sur celui des corps jeunes, beaux et intègres du début. L'accident est d'abord simulé, frôlé. Puis les partenaires se guettent, se poursuivent, pare-choc contre pare-choc, et défoncent leurs corps-voitures, jusqu'au carambolage. Ainsi, Vaugham, le personnage initiateur, peut-il dire : « L'accident de voiture n'est pas destructeur mais fécondateur d'une libération de l'énergie sexuelle concentrant la sexualité de ceux qui sont morts avec une intensité impossible à atteindre autrement… Cette expérience-là, je dois la vivre, c'est *mon* projet. »

L'excès de la « pulsion sexuelle de mort », bien sûr, est fortement stylisé dans une série pour adolescents, mais il n'empêche. Une scène de l'épisode 21 de la saison 6 fait explicitement référence à *Crash* quand Willow, au summum de sa jouissance maléfique, précipite à plusieurs reprises un camion contre la voiture de ses amis. Dès la première saison, en outre, une scène rendait manifestes les effets dévastateurs du déchaînement sexuel[141]. Buffy ayant accepté qu'Angel, blessé, entre chez elle, dans la pénombre de sa chambre a lieu un premier rapprochement corporel, un baiser. L'excitation ressentie par Angel l'empêchant de se contrôler, sa nature vampirique prend le dessus. Buffy n'avait jusqu'alors manifestement pas voulu interpréter au premier degré ce qu'il lui avait dit pourtant dès leur premier combat : « Ne t'inquiète pas, je ne vais pas te mordre. » Ainsi la série ne tergiverse pas avec les premiers émois, ceux-ci ne sont jamais tièdes, mais violents, irrépressibles, déstabilisants et mutatifs.

À quoi servent les vampires et autres phénomènes venus d'en dessous ? À prendre la sexualité au sérieux en estompant les frontières entre sexualité normale et perverse, sexualité hétéro et homosexuelle, en créant un espace de mise en scène de la pulsion sexuelle et de ses aberrations comme disait Freud. On sait que celui-ci a magistralement réuni une série d'arguments pour distinguer la pulsion sexuelle (*Trieb*) de l'instinct : déviation par rapport au but, c'est-à-dire par rapport à l'accouplement ; déviation par rapport à l'objet, c'est-à-dire par rapport à la personne dont émane l'attraction sexuelle ; déviation par rapport à la source, c'est-à-dire par rapport à l'usage sexuel de zones corporelles qui ne sont pas les zones « normales » nécessaires au coït, toutes déviations qui annulent l'idée d'une finalité reproductive de la sexualité.

Les aberrations sexuelles ne sont pas, pour Freud, des accidents de l'instinct, il montre au contraire que *toute la sexualité est, dès ses origines, déviation par rapport à l'instinct*[142]. Comment passe-t-on du polymorphisme infantile pervers à la sexualité génitale adulte ? Pour résoudre ce problème, on sait également que Freud doit recourir à toutes sortes d'artifices théoriques (introduction du stadisme, hiérarchisation des fonctions, œdipianisation, etc.) qui renient ses intuitions premières et inscrivent pour partie la psychanalyse du côté des technologies de la normativité sexuelle. Dans *Buffy contre les vampires*, les aberrations sont de règle et le retour à la génitalité n'est pas du tout garanti, comme en témoigne le dialogue entre Buffy et ses deux meilleurs amis, Alex et Willow, dans la scène conclusive de l'épisode « Moi robot, toi Jane[143] ».

Willow : le seul qui m'ait aimé est un robot. Ça en dit long sur moi...
Buffy : Ça ne dit rien du tout...
Willow : J'étais vraiment tombée amoureuse...
Buffy : Hé, tu as oublié... le seul qui m'ait fait craquer était un vampire !
Alex : Et la prof que j'adorais ? Une mante religieuse...
Willow : C'est vrai...
Alex : On vit sur la Bouche de l'Enfer.
Buffy : Regardons les choses en face, on n'aura pas de rapports normaux... (avec entrain) On est fichus !
Ils rient, puis se regardent, perplexes.

Comment survivre et s'en sortir quand on vit sur une Bouche de l'Enfer ? Sans doute *Buffy* pose-t-elle toutes sortes de questions existentielles ou philosophiques, mais sans la constante ironie de l'éros *queer*, je ne crois pas que la série aurait autant intéressé les ados... ni les intellectuels. L'attrait d'une série ne se maintiendrait pas, de surcroît plusieurs saisons d'affilée, sans exercer une puissante sollicitation fantasmatique.

Je n'ai pas la prétention, dans ces quelques lignes, de venir à bout de l'incroyable richesse du matériel fantasmatique dans *Buffy*. Je laisserai de côté, entre autres, des dimensions d'arrière-plan pourtant importantes, comme celle de la maison métaphore du corps féminin pénétrée par les intrusions démoniaques, celle du bas-fond, du sous-sol et du retrait dans l'ombre, qui rendent confuses les distinctions entre les corps et les identités, ou encore la figure d'épouvante de ce qui grouille et se multiplie sans se différencier (comme les anciens vampires de la saison 7).

THE FEMALE GAZE

Le fantasme est le mécanisme psychique qui structure la subjectivité en retravaillant ou en traduisant les représentations sociales du désir (les «fantasmes publics[144]» ou culturels) pour en faire des représentations subjectives et des autoreprésentations. Ainsi, les formes empruntées par notre désir ne sont jamais autonomes par rapport au social, au culturel, à l'histoire. Les féministes qui se sont intéressées à la critique littéraire et cinématographique ont montré que la plupart des œuvres favorisent les identifications pour les spectateurs masculins, ce que Laura Mulvey a désigné comme *the male gaze*[145]. Les filles et les femmes sont fétichisées comme objets du désir, saintes ou salopes, mais rarement représentées comme actives, ingénieuses, et surtout agressives ou actives sexuellement, ou alors pour un temps très bref, qui précède leur retour dans le rang (du mariage[146] et de la procréation) ou leur punition sous forme de destin funeste.

Male gaze? Que l'on se souvienne seulement de la célèbre première scène du *Mépris* de Jean-Luc Godard où le regard du réalisateur/spectateur glisse sur le corps nu de Bardot tandis qu'elle énumère les parties de son corps. «Et mes jambes, et mes seins, et mes fesses, tu les aimes?» Ce questionnement langoureux est adressé à un Piccoli qui porte le chapeau jusque dans la baignoire. Mais il ne suffit pas de traiter le mâle occidental au second degré pour émanciper la femme. Bardot demeure une blonde punie, écrasée entre camion et décapotable. Or Buffy la Tueuse, on le sait, sonne le glas du massacre des blondes.

La Tueuse, ou le récit d'une incohérence dans le genre

Différente est donc Buffy. La différence, en ce sens, renvoie à un ensemble de différences particulières qui sont constitutives d'un moi défini d'emblée comme incohérent ou contradictoire, un moi qui est sujet d'une expérience de la différence. *Buffy contre les vampires* est le récit d'une *incohérence dans le genre* nous éduquant à expérimenter certains écarts avec les normes de genre, le lesbianisme à travers l'évolution du personnage de Willow représentant un arrière-plan important des redéfinitions proposées ici pour l'identité féminine.

La première saison, où se forme le groupe autour de Buffy Summers (Willow, Alex, Rupert Giles, Cordelia), où se noue sa relation amoureuse avec Angel et où l'on voit l'héroïne grandir et changer jusqu'à devenir vraiment la « Tueuse », contient des éléments, la joie de vivre en particulier, qui vont progressivement disparaître, quasi absents de la septième saison par exemple, où la mort a fait son œuvre, où les personnages sont tous endeuillés par la perte d'un proche, où il n'y a plus d'innocence ou d'enfance. Mais durant la première saison, Buffy est pétulante. Elle oscille d'une façon constante entre le goût de la vie dans tous les détails de la quotidienneté et une attirance pour les expériences intenses – qui font sentir la vie intensément –, expériences ordaliques qui entretiennent des accointances avec la mort et sont plus souvent réservées aux garçons. C'est cette oscillation que je trouve intéressante chez la jeune Buffy : une jeune fille banale, normale, qui veut s'amuser comme les autres, mais dont le destin et les désirs s'écartent de la norme de genre, et de plus en plus. Que l'on parte de l'ordinaire, d'une jeune fille comme les autres, ni meilleure à l'école ni moins superficielle, autorise une gamme d'identifications beaucoup plus amples qu'un profil plus étroit de jeune fille qui serait dès le départ explicitement catégorisée exceptionnelle, hors norme ou déviante.

Une fille dotée de pouvoirs de garçon. Certes, il y eut des précédentes, actives et ingénieuses, du côté des héroïnes prépubères de la littérature enfantine. Dès 1942, Claudine-Claude, du fameux *Club des cinq* d'Enid Blyton, est une fille aventureuse. Claude devrait être aujourd'hui une icône des «trans F to M» tant elle refuse explicitement son corps de fille et les attitudes qui sont censées en découler[147]. Affirmant vouloir être un garçon, elle disait tout haut ce que beaucoup de petites filles aventureuses pensaient tout bas dans les années 1950-1970 ! Mais le masculin reste le genre de la liberté. La *vraie* fille, c'est Annie, la cousine nunuche, et les personnages du *Club des cinq* ne dépassent jamais la puberté ; on ne sait pas comment Claude va se débrouiller avec les métamorphoses de son corps ni quelle sera sa sexualité.

La *Fantômette* de Georges Chaulet, apparue dans les années 1960, est audacieuse et perspicace, mais cette bonne élève agit sous le masque, illustration parfaite de ce que la psychanalyste Joan Rivière a défini comme la «féminité mascarade[148]». Les femmes qui ont des ambitions «masculines», au sens social du terme, c'est-à-dire qui veulent réaliser des activités socialement considérées comme masculines, les cachent sous le masque de la féminité : ici le costume très seyant et séduisant de Fantômette. Plusieurs générations de filles ont voulu et sûrement voudront encore porter ce costume, c'est le costume qui est sexy ! En dessous, Fantômette (fantôme) a encore moins de corps que Claude qui hait le sien.

Buffy n'est pas une héroïne prépubère, d'emblée son corps est sexy, séduisant, féminin, avec des seins et des formes, mais aussi doté de capacités physiques exceptionnelles. Buffy a une mission universelle, et une agressivité à la fois mise en acte et sublimée, ce qui est le propre du héros rédempteur. Enfin elle est dotée de fantasmes complexes, ses petits amis sont des vampires et sa sexualité avec Spike est sadomasochiste. Les filles n'auront plus dès lors besoin de s'identifier à Zorro ou à Superman, leur goût de l'aventure, leur motricité physique, leur désir d'en découdre et leur agressivité, leurs fantasmes tordus, voire leur violence, n'entreront plus en conflit avec l'idée qu'elles/les autres se font de la féminité. Avec Buffy, l'activité et l'agressivité se déploient dans une palette de nouveaux scénarios autres que virils tandis que la sublimation féminine n'est plus cantonnée au registre du *care*. Tuer des vampires, ce n'est pas exactement prendre soin des autres[149]. L'identification à l'héroïne permet aux filles de reconnaître des sentiments meurtriers comme des composantes acceptables de soi. Il y avait « un devenir passif et non agressif de la femme », produit de tout un développement, de toute une éducation, « corollaire nécessaire de son devenir femme[150] ». Simplement, avec Buffy, ce n'est plus le cas.

FAIRE LA FILLE. SURFACES ET SUPERFICIALITÉ
DE L'IDENTITÉ DE GENRE

Mais une fille, c'est quoi ? Parce que son « job », le combat contre les vampires, constitue une contrainte externe obligeant Buffy à n'être pas une jeune fille comme les autres, il a pour effet qu'elle désire d'abord « la normalité » de toutes ses forces. « Beaux mecs, fantasmes prépubères et adolescence, à tout cela je n'aurai pas le droit ? » demande-t-elle à Giles, l'Observateur bibliothécaire qui la sermonne sur ses responsabilités.

Giles, le Mentor, incarne à la fois l'adulte, la culture, le savoir, l'ancien monde et ses grimoires (les vampires appartiennent d'abord à l'ancien monde), le devoir, les conventions. Les conflits entre Giles et Buffy l'Américaine sont des moments qui donnent à celle-ci l'occasion de préciser sa vision du monde, d'elle-même et de ses relations avec les autres. Dans « Bienvenue à Sunnydale » (épisode 2, saison 1), Giles lui fait reproche de sa superficialité. Elle ne serait même pas capable de reconnaître un vampire dans la foule du *Bronze* (la boîte de nuit). Or il s'avère qu'elle en repère un immédiatement. « Habillé comme il est, veste cintrée, il doit bien être resté dix ans sous terre », dit-elle. Le superficiel, en l'occurrence la connaissance de la mode, peut ainsi mener à l'essentiel : la destruction des vampires. Contrairement à Giles qui croit que le superficiel et le profond s'opposent, comme s'opposeraient la vie ordinaire et la mission de l'Élue, pour Buffy, cette opposition n'a pas de sens. Buffy revendique de jouir d'une certaine superficialité (comme nous quand nous regardons *Buffy*).

Dans le premier épisode de la série, Buffy apparaît de petite taille et plutôt potelée ; les cheveux trop apprêtés, elle porte minijupe blanche et bottes assorties. La série fait clin d'œil à Emma Peel ou Tara King, référence encore renforcée par l'origine britannique de Giles, le mentor de la Tueuse. Les héroïnes fantasques de *Chapeau melon et Bottes de cuir* sont à compter parmi les inspiratrices adultes du personnage de Buffy à la fois sophistiquée, la langue bien pendue, sachant se battre et n'ayant peur de rien. Tout comme Tara King, l'Élue est une *fashion victim* et les vêtements jouent un rôle très important dans la série. Tandis qu'au fil des épisodes, elle devient de plus en plus mince et athlétique, et qu'on la voit de plus en plus combattre, apparaissent les vêtements noirs, le cuir, les pantalons, des lunettes de soleil, des coiffures moins apprêtées. Buffy se démarque ainsi progressivement d'un style très normé « fille » et joyeuse, insouciante, acidulée et pop, pour un style plus sombre, à connotation cuir et sado-maso, où elle exprime et intègre sa part d'ombre.

À la fin de la septième saison, le futile, la mode et le consumérisme seront une dernière fois évoqués, de façon clairement conjuratoire, à un moment clé, juste avant le combat final (épisode 22, saison 7), dans une discussion entre Buffy, Willow et Alex, où ceux-ci se détendent en plaisantant sur l'expectative agréable de faire du shopping. Celui-ci figure alors le monde commun, ordinaire et partagé entre amis, ainsi que le plaisir d'être comme tout le monde. Devant le trou béant laissé par la destruction de Sunnydale, à la toute fin du dernier épisode, les trois amis ironiseront encore sur la disparition du centre commercial, citant quelques marques de vêtements ou de pizzas comme autant de « monuments » disparus. L'ironie signifie leur détachement et la capacité à laisser derrière soi, sans toutefois la mépriser pour autant, cette part infantile ou régressive de soi.

Dans une perspective finalement très intégrative, les rapports entre superficialité et profondeur, monde ordinaire et *extra*ordinaire, dimensions de l'infantile et de la maturité, s'intriquent à l'instar des deux faces de la célèbre bande de Mœbius, ou encore leur texture est rigoureusement la même. Je crois important de souligner que Buffy ne vit pas dans deux mondes, ce dont atteste la destruction simultanée de la Bouche de l'Enfer et de Sunnydale, l'une à l'autre inextricablement liées. En dépit du fait qu'ils entretiennent un rapport constant avec la magie, les forces maléfiques et les phénomènes étranges venant bousculer les notions de réalité conventionnelles, nos héros ne perdent jamais le sens trivial des réalités matérielles, ils savent commander une pizza, réparer une fenêtre, faire leurs comptes… et Buffy aspire à des activités de fille.

Dans l'épisode « Sortilèges », durant le ballet des pom-pom girls, elle s'en donne à cœur joie dans la surenchère. La dimension de parodie et de performance de genre est explicite. Buffy ne croit pas à la pom-pom girl. La seule à y croire vraiment est la mère-sorcière qui occupe le corps de sa fille Amy pour revivre sa gloire passée, redevenir la fabuleuse Cathy, la plus grande pom-pom girl de Sunnydale. Quand Cathy fait corps avec l'identité de pom-pom girl, pour Buffy en revanche, il ne s'agit que d'un jeu à investir pour participer joyeusement d'une adolescence normale, faire l'idiote dans une activité sur-connotée comme pas sérieuse, pour des filles insouciantes. Dans sa cuisine, juste avant le concours de sélection, déjà habillée en pom-pom girl, elle chantonne *I want to be a macho man*, ce qui trouble quand même beaucoup l'identification béate à la « fille » (et aux valeurs du Nouveau Monde) que lui suppose Giles quand il la réprimande de se disperser dans ce « culte ». Le jeu des identifications est pour elle beaucoup plus souple que pour Claude ou Fantômette, et la scène sous le signe de l'autodérision. Buffy peut aimer son corps de fille, et faire la fille, en ayant des fantasmes machos, tout en se moquant à la fois de ses fantasmes de fille et de ses fantasmes machos.

Buffy ne croit pas à la profondeur des identités de genre, la féminité peut être mise ou retirée comme un costume, c'est la robe ou la situation de flirt qui fait la fille. Ainsi, dans l'épisode « Un premier rendez-vous manqué » (épisode 5, saison 1[151]), Buffy sort avec Owen, un garçon qui lit Emily Dickinson et qu'elle qualifie de « sensible et viril ». Celui-ci lui demande si elle passe une bonne soirée : « Oui, répond-elle, j'ai l'impression d'être une fille. » L'identification à la norme de genre est souhaitée, mais au bout du compte, elle est décevante. Buffy rompt avec Owen, pour le protéger, car il aime trop le danger. « Deux jours avec moi et il est mort », dit-elle. Mais surtout, par différence avec les vampires, il ne crée pas d'intensité érotique, seulement les conditions pour avoir « l'impression d'être fille » et découvrir très vite que cette « impression » n'est pas si exaltante que ça.

ENCORE PLUS D'EXCITATION

Buffy contre les vampires peut être lue comme une éducation sexuelle pour accompagner le passage de l'adolescence à l'âge adulte. «J'amuse en éduquant» dit Andrew alors qu'il filme la petite bande se préparant au dernier combat de la saison 7. «Tu ne peux pas te masturber comme nous tous» rétorque Anyanka de mauvaise humeur (épisode 16, saison 7). Mais l'introduction dès les premiers épisodes d'une vision vénéneuse de la sexualité sur le versant de la pulsion sexuelle de mort implique de ne pas en rester à l'humour potache. L'intérêt des spectateurs est tributaire de la capacité scénaristique à relancer le jeu de l'excitation de plus en plus fort, à tisser de plus en plus serrés les fils du sexuel, de la douleur et de la mort.

Dans les premières saisons, le seul être qui attire Buffy sexuellement est masculin, mais non humain, vampire, ce qui introduit un élément bancal, non strictement génital, dans l'hétérosexualité de Buffy. Toutefois le personnage d'Angel, le vampire tourmenté par sa conscience morale, incarne une version consensuelle du beau ténébreux, figure idéalisée de la virilité qui s'avère rapidement ennuyeuse (au moins pour la spectatrice féministe)[152]. Spike, vampire british au cheveu peroxydé, amateur de whisky et de tabac, mauvais garçon très tardivement repenti et réputé pas très intelligent[153], fait un amant métrosexuel bien moins conventionnel, nettement décalé par rapport aux représentations du séducteur viril. Astuce : le contrôle de Spike grâce à la puce implantée par l'Initiative lui permet de conserver des qualités excitantes tout en modérant son agressivité. Spike partage, avec les chats, les grands criminels et les femmes narcissiques décrites par Freud[154], le charme qui émane d'une position libidinale insaisissable, inattaquable, où il se donne sans s'abandonner, naïf, sauvage, amusé. Et toujours prêt « à se jeter dans le mal comme dans une fête[155] ».

Entre Buffy et Spike, l'amour est un jeu de langage. La saison 6 est émaillée de propos du style :

— Je t'aime, Buffy.
— Non, ce que tu aimes, c'est souffrir. Tu n'es pas attirée par les ténèbres mais par la douleur,

rétorque Spike dans l'épisode 17.
Jusqu'à leur ultime dialogue, il s'agit de s'asticoter pour se faire mal :

« Je t'aime », dit Buffy au moment où Spike s'embrase.
— Non mon cœur, mais c'est gentil de le dire.

Au début de la saison 6, Buffy n'est plus la jeune fille insouciante des premières saisons. Une double mort, celle de sa mère et la sienne, dont elle revient, signe ce passage à un autre état. Le retour à la vie est voilé de mélancolie. Buffy se sent « morte au dedans » comme si l'élan vital était resté dans la tombe, « on dirait une mort lente », « je me sens tellement détachée de tout » (saison 6, épisode 17). « Donne-moi une vie qui chante », demande-t-elle dans l'épisode musical. Buffy revenue littéralement d'entre les morts, étrangère à soi et au monde, à l'instar des héros lazaréens de Jean Cayrol[156], doit faire un effort constant pour donner consistance aux choses et aux gens. Pour échapper à ce qu'elle ressent en elle comme une « froideur », pour éviter de désirer revenir à l'inanimé (à la mort qu'elle décrit comme un nirvana[157]), il ne lui reste plus qu'à « se prendre au jeu d'un amour plein d'entraves » et à « coucher avec un vampire pour sentir quelque chose ».

Seul l'excès de la douleur parvient à faire sentir la vie en soi. La sexualité sadomasochiste permet un retour à la vie tout en maintenant la mort en elle, « une intensité impossible à atteindre autrement ». Au risque que la mort ne gagne. « Je me sers de toi et cela est en train de me tuer », dit Buffy à Spike pour justifier son désir de rupture. Elle sous-entend s'en servir comme d'un *objet* indifférencié réduit à des excitations ou des chocs, réification pulsionnelle qu'elle dénie immédiatement par l'utilisation du vrai prénom de son interlocuteur – « Désolée, William[158] » –, le plaçant derechef dans la relation avec elle comme *sujet*. Car sans sujet, bien sûr, il n'y a pas de jeu avec l'autre.

J'ai parlé plus haut d'une puissante sollicitation fantasmatique. Si les scènes explicitement sexuelles entre Buffy et Spike restent discrètes et peu nombreuses, la scène fantasmatique sadomasochiste diffuse largement, à travers la récurrence des schèmes perceptifs de la croix, la roue, les flambeaux, la grotte, le cuir, les liens, les ongles pointus, les ecchymoses ou le sang coulant du torse de Spike, disséminés comme autant d'indices métonymiques. Dans ce contexte saturé de références au donjon SM, il devient également possible de sexualiser sans ambiguïtés la lutte contre les vampires, comme dans le dialogue entre les Tueuses potentielles après leur premier combat – « Quand tu as enfoncé le pieu, ça m'a fait un effet dingue». «J'ai senti comme une sorte de décharge» – tout en renforçant les registres d'équivalence sexuelle : « C'est comme un bar gay sauf que c'est pour les démons », dit l'une des Tueuses potentielles lors de sa première visite dans l'un des lieux interlopes de Sunnydale (épisode 12, saison 7).

L'incandescence du désir étant avant tout portée par la relation entre Buffy et Spike, l'évocation de la sexualité lesbienne entre Willow et Tara reste mièvre[159]. Mais cette fadeur est compensée par la surpuissance magique de Willow déchaînée en représailles à la mort de Tara. « La magie comporte des risques, il y a toujours des conséquences », dit Spike (épisode 2, saison 6). Où l'on entend bien qu'il a suffi de remplacer « sexe » par « magie » pour que les deux entrent en résonance métaphorique. Les échanges de flux d'énergie psychique entre sorciers provoquent des sensations orgastiques tandis que les dialogues de Willow dans les batailles magiques sont explicitement sexuels. « Vous préférez faire ça lentement. » « Nous voici enfin seuls sans personne pour nous interrompre. » Dans l'épisode 9 (« Écarts de conduite »), le combat entre Spike et Buffy se poursuit dans une étreinte sexuelle qui détruit l'immeuble. Les héros ne montent pas « au septième ciel », ils dégringolent les étages dans un fracas de planches. Par diffusion et transposition, la bataille entre Willow et Buffy dans le dernier épisode apparaît comme une scène sexuelle associant les coups, l'effondrement du décor et les propos ambivalents typiques de l'énamoration.

Buffy peut-elle retrouver une saveur à la vie et Willow renoncer au projet de détruire le monde ? Il est notable que ce qui compte et ramène à la vie, signant l'apaisement à la fin de la saison 6, s'opère sous l'égide d'un ré-enchantement de l'ordinaire et grâce *aux dimensions les plus désexualisées de l'amour*: le désir de Buffy de voir grandir sa sœur, celui de Spike d'être tendrement aimé, la confiance d'Alex en son amitié pour Willow pour vaincre la puissance maléfique d'annihilation.

MAIS LA SOCIÉTÉ EST-ELLE POUR AUTANT MENACÉE ?

«À la force des pulsions mises au jour, aucun des principes de fonctionnement de la société ou du psychisme bien tempéré n'est susceptible d'opposer une résistance sérieuse », écrit F. Roustang dans une critique d'une certaine fonction sociale de la psychanalyse[160]. Il ajoute :

> La société technicienne qui rejetait à l'extérieur d'elle-même, comme terreur, superstition, magie ou fable, les rêves, les fantasmes, la folie, pouvait se sentir menacée par leur réintroduction en son sein [par la psychanalyse]. Mais parce que ces phénomènes, constitutifs de l'être humain, ont été acclimatés à la nouvelle figure de la société, ils viennent renforcer celle-ci, car ils remettent à sa disposition ce qui lui échappait par définition[161].

En ce sens, la psychanalyse aurait « pour tâche de gérer le plus scientifiquement possible, l'irrationalisable, tâche indispensable, car nulle société, fût-elle la plus technicienne, ne saurait méconnaître ce qui la borde, la limite, et qui risque à chaque instant de l'investir[162] ».

La fonction sociale de *Buffy* est-elle « gestionnaire » ou subversive ? *Buffy contre les vampires* appartient certes au médium puissant de la télévision états-unienne, donc à une culture *mainstream* particulièrement apte à contrôler le champ des significations sociales mondialisées. Mais d'un autre côté, le romantico-fantastique pour adolescents demeure un genre mineur qui ne relève pas des discours maîtres, non plus que l'humour *queer* qui assimile, par exemple, bars de démons et bars gays ou transforme les filles en garçons sous l'effet d'un premier baiser lesbien (voir l'épisode 13, saison 7).

La prolifération des « différences », caractéristique de la pensée post-moderne et *queer*, se trouve opportunément mise en scène dans un dispositif culturel de masse (la série télé) qui en assure à la fois la dissémination et la normalisation. L'expérience de la différence s'y incarne dans des corps monstrueusement désirants et désirables. Des affects jusqu'alors décalés, subversifs, par exemple une sexualité lesbienne, des fantasmes de destructivité féminins ou leur expression active dans une sexualité mordante, se trouvent offerts à tous, en l'occurrence surtout à toutes, participant ainsi par le moyen puissant de la diffusion télé et Internet, à la critique féministe des formes étroites et figées de la féminité conventionnelle (gentille, au service des autres…). Buffy fait-elle partie, comme d'autres œuvres fantastiques ou de science-fiction, « des tentatives de désagréger les métaphores des systèmes uniques au profit de terrains complexes ouverts aux recoupements des jeux de la domination, du privilège et de la différence[163] » ? Ou bien la série œuvre-t-elle à l'assimilation de ces affects, à en éroder la déviance, pour les civiliser, les *gérer* et les faire travailler au service d'une société capitaliste d'intérêts et de profits ? Toutes ces jeunes filles qui auront « fait le choix » d'être fortes, comme la dernière saison les y invite, vont-elles utiliser leur pouvoir, avec les yeux dessillés, pour mieux se réaliser elles-mêmes ? Ou bien vont-elles, aveuglées, former de nouvelles armées zélées au service des multinationales ?

RÉCIT CULTUREL ET CONFIANCE EN SOI

> « L'humain, l'humain comme but instable de l'humain, comme si nous représentions une aventure inachevée. » (S. Cavell[164])

Je me posais ces questions quand un événement de ma vie personnelle m'a conduite à les envisager autrement, me contraignant, pour ainsi dire, à confronter la dimension perfectionniste à l'œuvre dans *Buffy* avec les dimensions de genre et de sexualité que je viens d'évoquer.

Durant une crise très pénible[165], une personne de ma connaissance me jeta à la figure *qu'elle ne pouvait pas être autrement que ce qu'elle était*. Cela est-il possible ? me demandai-je. Peut-on vivre dans un habitable psychique aussi étroit qu'on ne puisse seulement songer à *se déporter au-delà* ? Non, sans doute, et cette personne y avait bien pensé… sinon cette casanière n'aurait pas répondu favorablement à ma proposition d'un voyage dans une zone *indigène.* Toutes deux avons sous-estimé l'amplitude du choc écologique et culturel. J'ai omis pour ma part qu'elle ne disposait pas au préalable du récit culturel qui permet de se repérer subjectivement dans ces contrées chamaniques. Elle s'est trouvée exposée à une altérité radicale. Or chaque événement qui scande la vie, à l'instar des forces imprévues rencontrées lors d'un voyage par exemple, vient rappeler que *le moi cohérent n'est qu'une fiction.* Le moi est friable, éparpillable comme de la poussière de vampire, pour ainsi dire.

Ce vertige qui s'ouvre en soi offre cependant la possibilité d'une reprise ou d'un dépassement. Et le récit – roman, mythe, série TV... – a aussi pour fonction utopique de nous faire imaginer des mondes possibles ou des *soi possibles.* Sans récit culturel adéquat, il n'est peut-être pas vraiment possible de s'offrir à l'expérience. Non seulement nos rêves, nos fantasmes et nos mythes personnels s'alimentent de récits culturels, autrement dit de « fantasmes publics » pour donner une consistance à la fiction, ou aux fictions, que nous sommes. Mais ces fictions ou cette illusion du moi sont tributaires de la qualité, ou de l'adéquation à nos vies, des récits qui nous sont donnés à entendre, ou non, et au bon moment. Lors de cette crise, la personne dont je parle était sans texte. Privée du langage adéquat, sans autres défenses qu'une haine colossale orientée vers moi, elle avait perdu la possibilité de *laisser venir en elle* l'étranger, le non-assimilable dans les critères de la culture occidentale, ce soi-là, un soi qui se serait réalisé dans une rencontre indigène, est demeuré inaccessible.

Dans la culture adolescente, de *Buffy* aux mangas japonais, les contours du moi sont instables, la métamorphose toujours possible, généralement angoissante, perlaboration du passage immaîtrisable d'un corps d'enfant à un corps d'adulte ainsi que des embûches qui grèvent le processus d'individuation. *Buffy contre les vampires* est un récit culturel invitant ses spectateurs, en particulier adolescents, à ne dénier ni le chaos des forces pulsionnelles ni l'instabilité identitaire que génère la confrontation avec l'imprévisibilité de la vie. Ses personnages affrontent constamment l'expérience de *laisser venir l'étrange en soi*, ils n'en finissent pas de se transfigurer, de perdre et de retrouver leurs contours corporels, leur vie et leur âme, à travers des épreuves qui leur sont imposées ou qu'ils s'imposent pour aller de l'avant. Ce n'est jamais sans perte et sans douleur. En mourant et en renaissant – absurdité scénaristique dotée cependant d'une incroyable efficacité –, ils font l'expérience qu'être soi, c'est être possiblement plusieurs soi. *Buffy contre les vampires* suggère de surcroît que cette mutabilité ou cette transfiguration (qui n'est rien d'autre que la vie psychique) doit travailler avec « les forces d'en bas » ou « l'inhumain en soi », sinon c'est le gel ou la mort psychique.

L'omnipotence, la folie, la mort, la haine, le deuil, qui bornent et débordent les vies humaines se font ici entendre avec une acuité particulière laissant la part belle à l'irrationnel. Beaucoup de récits culturels contemporains prennent la forme de théories ou d'opinions savantes, beaucoup de moi construisent leur fiction (maintiennent leur cohérence) sur les bases d'un langage socialement légitimé du côté de la rationalisation, ainsi rendus sourds à leurs désirs et à leurs pulsions. La force d'une fiction comme *Buffy* réside dans l'étoffe narrative qu'elle procure « au travail de devenir humain », une mythologie contemporaine pour tisser à nouveaux frais la vieille histoire entre la vie et la mort, entre les voix désexualisées de l'amour et la poussée des formations de l'inconscient. « Le mal fait partie de nous », répètent à l'envi les héros de la septième saison et ce n'est pas un hasard si la Force (ou *the First*) prend la forme de Buffy dans le combat final. Il suffira à celle-ci pour en venir à bout de dire : « Je veux que tu dégages de ma vue » car le mal n'existe pas en dehors de nous et de notre volonté.

Être humain implique d'assumer une identité changeante et discontinue, par différence avec l'identité figée du vampire qui n'évolue plus. Selon Denis Guénoun, le perfectionnisme tel que Cavell le pense,

> ne cesse de penser l'humain, ou le moi, comme déportement au-delà de soi-même. L'un et l'autre doivent excéder le territoire qui apparemment les circonscrit – territoire de l'humain, ou identité du moi –, mais surtout, l'humain, ou le moi, deviennent exactement la possibilité d'affirmer cet excès. Ils s'identifient l'un et l'autre par cet outrepassement lui-même, et la sortie hors de soi (de l'humain, ou du moi) ne vaut en rien comme un principe d'extrahumanité, ou d'exil hors de soi, mais c'est dans ce dépassement qu'ils s'affirment dans leur humanité ou leur égoïté foncières, qui ainsi se reconfigure en se transfigurant, prenant la figure désassignée de cet élan lui-même[166].

Dans la perspective de *Buffy*, cet élan de transformation, cette mutabilité ne peut libérer cette « puissance qui réside en soi » sans affrontement avec les ténèbres et leurs composants archaïques et pulsionnels, avec ce qui « venu d'en dessous, dévore tout ». Le savoir pourtant largement convoqué par Buffy et ses amis, avides de vieux grimoires comme de connaissances informatiques, atteint toujours une limite où les ténèbres ne peuvent être franchies que par la confiance en soi.

178

L'idée perfectionniste que « le soi n'existe pas préalablement à la confiance » est le thème central du célèbre épisode 17 de la saison 6 (« À la dérive », titre anglais « *Normal again* ») où Buffy, dans une réalité parallèle, est internée dans un hôpital psychiatrique. Selon les médecins et ses parents, sa vie de Tueuse ne serait qu'un délire schizophrène dont elle ne pourrait se libérer qu'en tuant ses amis, reconnaissant par là que sa prétendue vie était fictive. Pour distinguer le vrai univers du faux, il lui faudrait se faire confiance, conseille sa mère, qui est vivante, élément qui constitue l'élément le plus attractif de cette réalité. C'est donc paradoxalement en suivant le conseil de sa mère que Buffy choisit comme étant la réalité le monde où celle-ci précisément n'est plus.

Humain, trop inhumain

« Mûrir, c'est réaliser et accepter le fait que nos espoirs sont multiples, qu'ils sont indifféremment orientés vers des fins destructrices ou constructrices, imprégnés d'ambivalence, à maints égards inconciliables entre eux et, en conséquence, d'une nature qui ne leur permet pas d'être totalement comblés. L'accomplissement de cette maturation exige de l'individu qu'il reconnaisse et abandonne, pour une bonne part, ses fantasmes d'omnipotence jusqu'alors inconscients » écrit le psychanalyste Harold Searles[167]. Le cheminement vers la maturité, c'est précisément l'objet de la septième saison. Tout le monde peut changer et s'améliorer, même Spike qui donnera sa vie pour sauver l'humanité. Sans se renier ?

La septième saison est fondée sur le principe féministe d'un partage de l'*empowerment* féminin *versus* l'individualisme omnipotent de la Tueuse. Buffy découvre que l'Élue a été conçue par des hommes du passé comme un mythe patriarcal. Tout le pouvoir pour les hommes, sauf Une. Elle sollicite Willow la sorcière – « une femme plus puissante que ces hommes » – pour se libérer de son propre pouvoir et l'offrir à toutes les femmes qui sont « prêtes ». Il est notable que les rapports entre la sexualité et le monde « d'en dessous » s'inversent dans cette ultime saison. Lorsque Alex et Anyanka, Willow et Kennedy, Faith et le proviseur Wood font l'amour[168], tandis que Buffy dort chastement dans les beaux bras de Spike, *The First*, la force originelle du Mal, s'en dit jaloux au grand dam de son représentant humain, Caleb, prêtre démoniaque qui n'a de cesse que de fustiger les « traînées ». C'est donc le suppôt du mal, identifié à un prédicateur de quelque église chrétienne, qui tient désormais le discours antisexe. La sexualité, à la veille du combat, s'enrôle sous la bannière du bien. L'enjeu étant que c'est au bien, ou plus exactement à la pulsion altruiste, qu'il incombe de façonner les alliages entre *les pulsions agressives* – à proprement parler mortifères et disjonctives – *et les pulsions conjonctives de l'Éros*. Ce nouvel alliage, c'est l'âme retrouvée de Spike.

Spike décide de récupérer son âme qui lui est finalement rendue à l'issue d'une série d'épreuves masochistes. Que représente l'âme ? Spike n'était pas dépourvu de vie psychique puisqu'il pouvait haïr ou aimer, souffrir en éprouvant des « passions tristes » (la jalousie, par exemple). Il témoigne au moment de son sacrifice qu'il sent enfin son âme, « étrange sensation », dit-il, ce qui tend à associer l'âme à la pulsion altruiste, quand Buffy associait la pulsion sexuelle de mort à l'emprise et à l'égoïsme («je me sers de toi»). L'âme de Spike, par différence avec celle d'Angel, n'est pas une conscience morale tourmentée, mais un élan vital, *la vie comme un essor intrinsèquement éthique.* «Je veux savoir comment tout cela se termine» dit-il, ce qui jusqu'au bout lui accorde un projet. Par le talisman qui réverbère les rayons du soleil, Spike en une ultime transfiguration est porté à l'incandescence, s'enflamme et se consume, la pulsion de vie (sentir son âme, sauver le monde) fusionnant avec la force du sexuel (le feu). Il n'y a pas besoin d'être (entièrement) bon ou humain pour «libérer le bien». La mort est accueillie par un rire sardonique où résonnent, indubitablement intactes, les qualités excitantes et perverses du héros, lequel intègre *in fine* les deux composantes de l'Éros sexuel et de l'Éros désexualisé. C'est peut-être cela l'étrange sensation d'avoir une âme, d'être un humain.

Non seulement l'être humain ne peut advenir comme humain que situé dans les parages d'un autre être humain (*Nebenmensch*[169]), ceci vaut pour Spike qui s'humanise dans la relation avec Buffy. Mais du non-humain participe aussi de la formation de l'humain, quelque chose de méchant, coagulé, répétitif et mort, et quelque chose de narcissiquement détaché, insouciant, inaccessible. Cela vaut pour Buffy qui reprend goût à la vie à travers la proximité du non-humain qu'est Spike. Humain et non-humain, au sens où je les utilise ici, ne renvoient pas à une réalité objective, mais identifient des expériences perçues comme telles, expériences humaines et non humaines de soi et des autres. Ce qui compte ici est que nous les *nommions*, vivions, de la sorte. L'un des caractères non humains les plus lisibles et constants de Spike – et qui lui confère l'attractivité des fauves ou des oiseaux de proie – aura sans doute été son inconcevable absence d'angoisse, cette angoisse qui caractérise l'humain, comme « but instable », « aventure inachevée », et qui teinte le sourire de Buffy dans la toute dernière image de la série.

Questions subsidiaires : cesse-t-on un jour de désirer se faire prendre au piège des grands fauves ? Cesse-t-on un jour d'être adolescent ? Ou pour le dire autrement : cesse-t-on un jour de s'interroger sur ce qui est étrange ou bizarre *en nous* et qui vient défaire en sous-main l'illusion de la cohérence d'un *moi* ?

NOTES

137. S. Freud, *Drei Abhandlungen zur Sexualtheorie*, 1905, éd. fr. *Trois Essais sur la théorie sexuelle*, Paris, Gallimard, 1987 ; G. Rubin, « Thinking Sex : Notes for a Radical Theory of the Politics of Sexuality », in Carol S. Vance (éd.), *Pleasure and Danger : Exploring Female Sexuality*, Routledge and Keagan Paul, 1984, éd. fr., « Penser le sexe : pour une théorie radicale de la politique de la sexualité », in G.S. Rubin, J. Butler, *Marché au sexe*, Paris, Epel, 2000.

138. Référence d'autant plus justifiée que le développement de la théorie *queer* aux États-Unis est contemporain de la série dont la diffusion débute en 1997 et se poursuit jusqu'en 2002. Utilisé initialement comme une insulte dont l'équivalent serait « sale gouine » ou « sale pédé », *queer* (« bizarre, tordu ») a fait l'objet d'une re-signification (renversement du stigmate en une auto-affirmation positive) par les politiques de dénaturation des identités de genre et des identités sexuelles. Voir T. de Lauretis, *Théorie* queer *et cultures populaires*, Paris, La Dispute, 2007.

139. T. de Lauretis, *Pulsions freudiennes*, Paris, PUF, 2010.

140. J. Laplanche, *Entre séduction et inspiration : l'homme*, Paris, PUF, coll. «Quadrige», 1999.

141. Dans «Alias Angelus», épisode 7, saison 1 ; voir aussi «Innocence», épisodes 13 et 14, saison 2.

142. Jean Laplanche, *Le Fourvoiement biologisant de la sexualité chez Freud*, Les Empêcheurs de penser en rond, 1993.

143. Saison 1, épisode 8.

144. T. de Lauretis, *Théorie* queer *et cultures populaires*, *op. cit.*

145. Voir Laura Mulvey, «Visual Pleasure and Narrative Cinema», *Screen*, 16.3, automne 1975, p. 6-18 (en ligne : http://imlportfolio. usc.edu/ctcs505/mulveyVisualPleasureNarrativeCinema.pdf, page consultée le 8 mai 2014).

146. Voir aussi, dans la saison 6, la satire du mariage normatif d'Alex et Anya envisagé comme désastre absolu.

147. *Trans Female to Male*. Voir à ce sujet le numéro 45 des *Cahiers du genre*, 2008, *Les Fleurs du mâle. Masculinités sans homme ?* (M.-H. Bourcier, P. Molinier, éd.).

148. Joan Rivière (1929), «Womanliness as a mascarade», *International Journal of Psychanalysis*, X, p. 303-313, traduit de l'anglais par Victor Smirnoff (1964), «La féminité en tant que mascarade», *La Psychanalyse*, vol. VII, Paris, PUF, réédité in Marie-Christine Hamon (éd.), *Féminité mascarade*, Paris, Seuil, 1994.

149. Même si Buffy est aussi très *caring*, empêchant par exemple très fréquemment ses amis, Alex et Willow, ou sa sœur Dawn, de la suivre, pour ne pas leur faire courir de risques (bien sûr, ils désobéissent).

150. Sarah Kofman, *L'Énigme de la femme. La femme dans les textes de Freud*, Éd. Galilée, 1980.

151. Le titre original est plus ironique : «*Never Kill a Boy on the first Date*».

152. Ce qui est largement confirmé dans la série dérivée dont il est le héros éponyme : *Angel*.

153. «Le premier idiot du village qui passe» selon la définition de Darla (*Angel*, saison 2, épisode 7). Spike est doté d'un passé antévampiresque peu reluisant, celui d'un poète affligeant entretenant une relation symbiotique avec une mère omnipotente, et par la même occasion passablement castré.

154. Sur le narcissisme féminin freudien, voir l'éclairant commentaire de S. Kofman, *op. cit.*, p. 54 *sq.*

155. Selon ses propres termes, épisode 11, saison 5 d'*Angel.*

156. Jean Cayrol, « Pour un romanesque lazaréen », p. 69-106, in *Lazare parmi nous,* Paris/Neuchâtel, Seuil/Baconnière, 1950.

157. Ou comme la régression à un espace pré-natal paradisiaque, pour Buffy, à partir de la saison 5, la mort est aussi le lieu de la mère.

158. Le surnom lui-même porte la marque de l'excitation sadique puisque *railroad spikes* désigne les rivets de chemin de fer utilisés par Spike pour torturer ses victimes à l'époque où il était un méchant vampire.

159. Autant que par l'évocation un peu sucrée « des câlins entre filles » pour parler comme Willow, la tonalité lesbienne de la série est suggérée à travers les chanteuses qui se succèdent au *Bronze*, la boîte de nuit locale (notamment dans la saison 7), et par la personnalité charismatique de Kennedy, la deuxième petite amie de Willow. Je ne développe pas l'importance des scènes éducatives qui combattent ouvertement l'homophobie, comme dans l'épisode « Écarts de conduite », saison 6, où Willow et Amy lancent un charme qui fait danser à moitié nus deux garçons homophobes qui les harcelaient.

160. F. Roustang, … *Elle ne le lâche plus* [1980], Paris, Payot, 2009, p. 233.

161. *Op. cit.*, page 230.

162. *Op. cit.*, page 231.

163. Donna Haraway, *Des singes, des cyborgs et des femmes. La réinvention de la nature*, Paris, Éd. Jacqueline Chambon, 2009, p. 239.

164. Stanley Cavell, *Qu'est-ce que la philosophie américaine ?*, Paris, Gallimard, coll. « Folio », p. 398.

165. Cette histoire fournit ici la matière d'une petite parabole, la vérité de ce qui s'est passé est bien sûr autrement plus complexe.

166. Denis Guénoun, « Libérer le bien », in S. Laugier (éd.), *La Voix et la Vertu. Variétés du perfectionnisme moral*, PUF, 2010, p. 150.

167. H. Searles, *Le Contre-transfert* [1979], Paris, Gallimard, coll. « Folio Essais », 1981, p. 309.

168. Alex et Anyanka (homme et démone), Willow et Kennedy (femme et femme), Faith et Wood (Blanche et Noir).

169. M. Schneider, *La Détresse aux sources de l'éthique*, Seuil, 2011.

BUFFY, UNE RELECTURE DE LA MYTHOLOGIE ADOLESCENTE

THIERRY JANDROK

Pour Léa et Thémis, *vampire lovers…*

Le personnage de *Buffy contre les vampires* répond aux codes modernes de la mythologie américaine ainsi qu'à une tendance récente à faire des vampires des personnages néoromantiques. La série fait la part belle au complexe du loup-garou ainsi qu'à la figure du berserker, du vengeur habité par le divin. Pourtant la violence inscrite dans la trame narrative paraît distanciée, ailleurs, à la limite entre réalité fictionnelle et fantasme. À l'intérieur de ce cadre fantasmatique, le personnage (*character*) constitue une représentation démultipliée de la subjectivité et de ses désirs. Elle s'adresse à la fois à tout le monde et à personne. Elle est cette *persona*, ce masque dont les paroles et les actes émeuvent les spectateurs.

Buffy n'est pas seulement une histoire à propos d'une adolescente. En effet, elle et les autres personnages de cette série reflètent une myriade de facettes, non pas de l'adolescence, mais du *devenir adolescent*, de ce temps de passage que chacun investit à sa façon et avec les représentations qui sont les siennes.

La série propose un certain nombre d'identifications possibles au devenir, de l'enfance à l'âge adulte. Pourtant, ne nous méprenons pas, ces identifications ne sont que des images, des représentations et peut-être des icônes, dont les sens masquent de nombreux discours.

Au cours de cette étude, aidée par notre épistémologie psychanalytique, nous proposerons un certain nombre de pistes à la réflexion, et poserons les questions du dogme et de la mise en scène des fantasmes dans cette série télévisée.

DE LA MYTHOLOGIE AUX FICTIONS TÉLÉVISUELLES

De nos jours, les ados vivent dans un monde dans lequel leurs camarades d'école planifient leur assassinat, où la menace de violence à main armée est constamment présente, où il existe un taux élevé de maladies sexuellement transmissibles, de «rencards-viols», et de prédations sexuelles. (Tracy Little[170])

Depuis la nuit des temps, les mythologies ont construit des récits qui sont autant d'interprétations de la nature humaine. Dieux, démons, monstres et chimères… métaphorisent et médiatisent les relations conflictuelles du sujet avec les événements du Réel. Face à sa puissance et son dramatique entêtement, chacun réagit d'abord par l'imagination, en donnant une apparence à l'indicible, puis, en fonction des vocables et de la grammaire à sa disposition, propose un sens à ses représentations[171]. Dans la culture occidentale, en particulier aux États-Unis, la télévision s'est emparée d'anciennes figures mythologiques et, dans un même mouvement, les a édulcorées et développées. Elle leur a ainsi redonné une place dans la culture de masse. Chacune de leurs aventures embarque les téléspectateurs dans des situations extraordinaires. Pourtant, contrairement à ce qui se passait dans l'Antiquité, en cette période pendant laquelle le religieux cimentait le lien social, réaffirmait l'obéissance aux lois civiles et fondait une réflexion éthique, l'Occident privilégie aujourd'hui la pensée pragmatique et le principe de l'efficacité.

Ce qui n'empêche nullement les figures des panthéons ancestraux de revenir en force et de faire sens dans la psyché de nos contemporains. Comme le dit Timmy Valentine :

> Ces films qui vous fascinent tant vous les mortels ne font qu'effleurer les mythes. Je ne suis pas un mythe, mademoiselle Rubens. Je suis la distillation des terreurs les plus secrètes de l'humanité, un résumé de millions de représentations de l'aliénation. C'est pour cette raison que je suis plus réel que je ne l'ai jamais été et ce pourquoi je suis encore plus affamé que par le passé[172].

Les personnages mythologiques se sont modernisés afin d'intégrer la trame des fictions contemporaines. Preuve, s'il en était encore besoin, que ces représentations sont immunisées contre l'érosion culturelle ! Leur portée est structurelle et non conjoncturelle. Elles touchent aux fondements de la nature humaine. Elles mettent en scène les arcanes d'une subjectivité aujourd'hui battue en brèche par le discours de la communication et la langue de bois. Dans cette ambiance de désubjectivation généralisée, il subsiste un public avide d'aventures qui évoquent ses difficultés quotidiennes par le biais d'œuvres d'imagination.

À ce titre, *Buffy contre les vampires*[173] remporta un franc succès à la fin des années quatre-vingt-dix. La série, qui comprend sept saisons, fut d'abord diffusée sur les écrans français de 1998 à 2003 ; mais *Buffy* hante encore nos écrans par le biais des rediffusions.

LA MORT EST UNE ILLUSION

« Seul le Moi meurt, et seul le mortel est Moi. » (Emmanuel Lévinas[174])

Il était une fois dans une petite ville américaine, une jeune femme, de taille moyenne, blonde avec un visage de nymphette. Elle vient d'emménager à Sunnydale, petite ville de Californie – comme on en trouve dans les films de Steven Spielberg ou de Tim Burton –, en compagnie de sa maman, Joyce, et de sa petite sœur Dawn[175.]

Buffy Anne Summers se présente d'abord comme une jeune adolescente en fleurs, un peu timide, un peu paumée dans son nouvel environnement. Néanmoins, très vite, quelque chose de sa nature profonde se révèle au-delà des apparences. La jeune et jolie fille est loin d'être une gentille petite voisine. Buffy cache un sombre secret : elle est une Tueuse de vampires, un soldat désigné par un ordre ancestral afin d'accomplir une mission salvatrice. À ce titre, « Buffy Summers est une figure archétypale de la fille d'à côté[176] », la représentation d'un prochain en apparence inoffensif dont la double vie est celle d'un tueur en série.

La petite bourgade de Sunnydale est une ville de l'entre-deux, construite sur une fracture inter-dimensionnelle à travers laquelle s'engouffrent vampires, loups-garous, sorcières et démons. Comme dans toutes les fictions mythologisantes, il n'y a pas de hasard. L'arrivée de Buffy dans ce lieu intermédiaire relève d'une surdétermination structurelle. Si sa mère a choisi cette ville, c'est parce que cette dernière fait écho en elle à un niveau inconscient. Par conséquent le choix de Sunnydale et de son lycée relève de ce qu'en psychanalyse nous nommons un acte manqué. Or cliniquement, un acte manqué est toujours le signe d'un discours réussi. Nul n'échappe à ce qui dans son inconscient le pousse dans une situation qui le concerne au premier chef.

Buffy se questionne d'abord beaucoup sur l'opportunité d'embrasser son devenir. Elle tente même d'éviter ses responsabilités. Mais chaque fois, quelque chose à l'extérieur d'elle-même, une présence, un événement, la ramène à sa mission et donne sens à son existence. Il n'existe aucune échappatoire. Le devenir de Buffy est surdéterminé. Elle est « élue », et se doit d'embrasser ses responsabilités. L'élection dans le dogme judéo-romano-christianique ne signifie pas un surplus de pouvoir ou d'autorité, mais bien un surplus de responsabilités. L'élection est un appel éthique rappelant avec force combien il est aisé de se laisser entraîner par le Principe de plaisir. En fin de compte, qui d'autre qu'une Tueuse de vampires pouvait emménager dans une ville située au cœur d'un nœud interdimensionnel ?

Dans la tradition, l'aube, le crépuscule ainsi que tous les lieux frontaliers possèdent des caractéristiques magiques. C'est en effet à la limite des pertinences, des registres, des différentes réalités que choses et êtres nous questionnent.

Comme de bien entendu, la «jeune vierge», qui n'en est pas à son coup d'essai et a un lourd passif, tente de lutter et d'échapper à la mission que le destin lui impose depuis qu'elle est entrée dans l'adolescence. Au quotidien, elle ne doit pas se laisser aller à la violence et encore moins à un déchaînement susceptible de modifier la paix du voisinage. Qu'elle tue des vampires à l'insu de ses contemporains est une chose, qu'elle le fasse en détruisant des bâtiments ou en mettant en danger des innocents en est une autre. Une jouissance sans pudeur est pourtant une délicieuse infamie. Dans le *Buffyverse*, l'occulte s'oppose au quotidien. En apparence, Buffy est douce comme un agneau. En réalité, elle est une louve recouverte d'une peau de brebis, sans aucun état d'âme à l'égard de ses adversaires de l'au-delà, toutes ces créatures nées de l'imaginaire torturé des Occidentaux.

LE VOILE DU REFOULEMENT

> «Nous n'avons que nos ombres pour nous déplacer dans la nuit.» (Edmond Jabès[177])

Évidemment, dans ses relations au quotidien et en particulier devant ses aînés, la jeune femme tente de camoufler sa véritable nature et l'étendue de ses pouvoirs, notamment face à sa mère qui, comme dans toutes les histoires d'adolescents, ne peut rien y entendre. C'est connu, les parents ne comprennent rien aux adolescents! Et la modernité a fait des représentants de cette classe d'âge une figure de l'étrangeté la plus radicale.

La plupart des adultes semblent refouler la période de leur adolescence. Ils se reconnaissent rarement dans les frasques des plus jeunes. À les entendre, ils n'ont jamais été, ne se sont jamais comportés comme les adolescents d'aujourd'hui. Ils font comme s'ils n'avaient pas eu à faire face aux transformations de leur corps, à l'afflux d'hormones qui fait naître les caractères sexuels secondaires et déchaîne les passions. Les comportements opposants, les conduites à risque, le piercing, les tatouages, les abus d'alcools et de drogues qui stimulent ou érodent les sensations, les multiples expériences sexuelles, la révolte vestimentaire ou le conformisme absolu, la transgression des règles parfois les plus élémentaires, paraissent n'appartenir qu'au présent d'une jeunesse éternelle et immuable. Les souvenirs, baignés de nostalgie et parfois de regrets informulés, mettent en scène une adolescence plutôt sage aux transgressions exceptionnelles. Bien sûr chacun reconnaît avoir fait l'une ou l'autre bêtise, mais guère plus. Au fil des années cette période intermédiaire de l'existence semble s'évanouir derrière les brumes de l'amnésie. Et les adultes devenus parents de se raconter les frasques de *leurs* ados. Ils s'étonnent, s'inquiètent, s'insurgent également contre ces comportements juvéniles. Ensemble, ils font l'étalage de leurs souffrances quotidiennes, de tous ces petits combats de rien qui rendent les adolescents si insupportables et leur donnent tant de soucis. Quant aux « adulescents[178] », ils ne refoulent pas leur passé, mais le poursuivent, parfois jusqu'à la confusion des rôles et des fonctions au sein de la cellule familiale.

Freud parlait d'une période de latence entre sept ans et les débuts de la puberté. En revanche, il n'a jamais évoqué l'adolescence comme d'une *autre* période de latence entre l'enfance et l'assomption d'une place d'adulte. L'adolescence serait-elle donc un temps qui, avec les années, s'effacerait derrière un voile de refoulement?

La reconnaissance de ce fait clinique pourrait nous offrir des éléments explicatifs quant aux malentendus et aux conflits intergénérationnels, pris entre refoulements et fantasmes dont la répétition au fil des générations fait symptôme des impasses relationnelles et subjectives qui s'y jouent et rejouent. Qui sont les adolescents? Sont-ils des sujets à part, des monstres irrémédiablement prisonniers de leurs pulsions et d'un imaginaire qui les déréaliseraient du lien social, faisant d'eux des spectres, des sujets intermédiaires, à défaut d'être des sujets médiatisés?

L'adolescent est aux carrefours de différentes dimensions de la réalité. Derrière lui, le passé conserve un fort ascendant sur ses désirs. Le présent est souvent conflictuel[179]. Quant à l'avenir, il est plus qu'incertain et la mort une option au charme vénéneux. La société attend d'eux qu'ils se conduisent comme des adultes, alors que souvent, ils sont encore prisonniers de liens archaïques d'autant plus puissants que sous le voile de la protection, ils les empêchent souvent de prendre leur envol. L'adolescence ne serait-elle pas d'abord une problématique parentale avant d'être un temps de transformation subjectif? De plus, leur déchaînement ne serait-il pas à l'échelle de ce qui les lierait aux figures de leur passé?

Dans ce cadre d'échanges symboliques, Buffy et ses petits camarades correspondent à une constellation adolescente entre représentations et problématiques existentielles. Sans entrer dans une analyse approfondie des positions subjectives des uns et des autres, nous en parcourrons quelques-unes. Faith, par exemple, choisit la voie du Principe de plaisir au détriment du Principe de réalité. Très vite, elle s'engage sur le versant pulsionnel de sa mission et se découvre une jouissance dans le meurtre. Xander, pour sa part, est un humain dont l'existence, en apparence ordinaire, le place du côté d'une quête désirante qui touche, par moment, au sublime...

PRINCIPE DE PLAISIR ET PRINCIPE DE DÉRÉALITÉ

« L'amoureux ne peut se définir ni par son objet, ni par sa tendance, mais par son discours. L'amoureux est tout discours. » (Roland Barthes[180])

Que ce soit Buffy, Willow, Xander, Angel, Spike, Dawn... ou les autres jeunes personnages de la série, le spectateur est le témoin de leurs relations conflictuelles avec leurs diverses obligations morales, et les différentes expressions de leurs pulsions. Bien sûr, ce simple niveau d'analyse suffirait en soi à décrire le fait adolescent pris entre l'éternel combat entre le bien et le mal, la pulsion et le désir, l'envie et les regrets, les privations et les frustrations. En réalité, les adolescents accompagnent bon gré mal gré l'expansion de leur pulsion et la montée en régime de leur organisme. La difficulté consiste pour eux à intégrer en l'espace de quelques années les inhibitions suffisantes afin d'intégrer la société des adultes, représentée comme modèle d'humanisation, et comme pulsionnellement assagie au point d'avoir atteint une forme d'homéostasie, de mort psychique. Pourtant la série souligne la difficulté du devenir adulte.

Nombre d'entre eux, en effet, sont encore les otages d'un imaginaire phallique. Vampires, démons, enseignants ou militaires high-tech, ils se refusent à faire une croix sur leurs désirs infantiles. Ils se sont cristallisés dans un entre-deux et ne sont pas parvenus à assumer un choix qui leur permettrait d'abandonner leurs premiers objets d'amour. S'ils s'orientent du côté de la conquête, c'est essentiellement afin d'étendre leur pouvoir sur le plus grand nombre d'éléments de la réalité. À défaut d'accepter les limites imposées par le Réel et la Loi, on se lance dans des stratégies de conquêtes et de domination. Qu'il s'agisse d'étendues géographiques ou de territoires de la pensée, ces personnages sont monstrueux parce qu'ils se refusent à évoluer ainsi qu'à faire le deuil de leur(s) objet(s) d'amour infantile. Dans ce cadre discursif, combattre les démons et les vampires consiste à faire la part des choses entre normativité et monstruosité, entre les discours impérialistes et une orientation politique plus démocratique, du moins en apparence. Chasser puis tuer les démons s'expriment comme autant d'exercices de style pour l'adulte en formation. Chaque combat met en scène une pratique du discours. Dans ce cadre, il faut identifier le problème, l'analyser, mettre en place une stratégie (de survie) résolutive et éliminer l'élément qui perturbait l'ordre du monde. En termes rhétoriques, il s'agit de poser successivement une hypothèse, une thèse puis une antithèse, avant de conclure sa démonstration dans la synthèse des opposés et des contradictions apparentes ou masquées.

Ces activités qui délimitent les registres de l'Imaginaire et du Symbolique participent d'un discours dogmatique. Ce dernier définit clairement la place de chacun selon une dichotomie précise définissant les

Uber- et les *Untermenschen*, littéralement les hommes « du dessus » et ceux « du dessous », des mondes infernaux. Par ailleurs, ce discours insiste sur l'importance du travail de groupe en réseau, en faisceau également. Au sein de ce corpus, des variations s'expriment dans une myriade de prises de position, tantôt adaptées, tantôt pathologiques, faisant parfois basculer le personnage d'une pertinence à l'autre. Au sein du *Buffyverse*, la frontière est mince entre ordre et chaos, ange et démon, homme et animal.

Par exemple, alors que Buffy passera quelques années à tergiverser et à combattre ce qui la sur-détermine, Willow, partant d'une situation infantile, choisira la voie du *geek* en se passionnant d'abord pour l'informatique et les pratiques occultes. Elle tombera amoureuse d'Oz le lycanthrope, qu'elle tentera d'huma-niser, sans succès. Puis, elle se plongera à cœur perdu dans la sorcellerie et se découvrira, dans le même mouvement, homosexuelle. Le destin de ces deux adolescentes est lié. *Slayer* ou *Slayerette*, grandes ou petites, les Tueuses partagent le même but, le même repaire, les mêmes camarades et les mêmes combats. Pourtant leurs voix restent singulières.

Buffy se construit dès le départ sur l'hétéronomie, la différence des registres et des lois. Elle ne vit pas son existence dans le dilemme, mais dans la séparation. Si elle ne désire pas tuer d'être humain, car c'est la Loi, elle n'a, en revanche, aucun scrupule à planter un pieu dans le cœur des vampires ou à annihiler des démons venus du cœur des enfers. Si elle est castrée par sa féminité dans notre monde, dans l'univers nocturne en revanche, elle porte fièrement son phallus de Tueuse de vampire. Le pieu est à la fois son sceptre et l'insigne de sa puissance à la fois imaginaire et pulsionnelle à l'adresse des créatures de l'au-delà de la raison.

Dans ce cadre symbolique, Buffy rejoue la bisexualité originelle du sujet qui, au moment de l'adolescence, se questionne sur le désir et ses objets. Penchant tantôt du côté d'une hétérosexualité déclarée, tantôt de celui d'une homosexualité jamais totalement assumée, Buffy est une icône adolescente moderne. Cependant, comme dans toutes les histoires d'ados, Buffy n'est pas seule face aux questions qui la taraudent. Dans sa quête d'elle-même, elle est soutenue par Rupert Giles, sorte de père substitutif et guide spirituel. Rupert est celui qui, entre pulsions et désir, n'a de cesse que de rappeler les fondements de la Loi. Il est cette voix extérieure et pacifiante qui permet au Scooby Gang de se structurer et d'éviter un certain nombre de pièges et de chausse-trappes. C'est par la médiation de Rupert Giles que les affects se changent en émotions, et que les pulsions se médiatisent en désir. Il a un rôle structurel dans l'évolution des personnages. À la fois enseignant et conseiller, il se place en dehors des conflits intergénérationnels et permet le passage des adolescents d'un monde enfantin peuplé d'anges et de démons à une société d'adultes.

Les relations amoureuses de Buffy éclairent par ailleurs le passage des liens archaïques enfant-mère à l'amour du prochain, quand bien même ce dernier aurait des caractéristiques démoniaques. La pulsion de vie, l'Éros, est à ce prix. On ne quitte pas la maison maternelle sans prendre le risque de rencontrer l'étranger. C'est ainsi que Buffy aime bien Angel, vampire maudit par son humanité et archange des mondes chtoniens ; mais c'est avec Spike qu'elle vivra son aventure la plus torride. Spike est un vampire «domestiqué», si tant est que cet oxymore soit soutenable au long cours[181]. Ses impulsions vampiriques sont en effet inhibées par un implant neuronal créé par les *technopaganistes* de l'Initiative. Néanmoins, si cet implant shunte ses élans vampiriques, il ne l'empêche pas pour autant de développer une sexualité sadique et violente, sublimant sa nature démoniaque, et séduisant par son absence de limite Buffy la Tueuse de vampires.

Spike est la représentation de la face sombre du premier partenaire sexuel. Dans son apparence et ses ambiguïtés qui touchent souvent à la perversion, il rend compte d'une certaine représentation de l'adolescence fascinée par le déchaînement pulsionnel, les expériences perverses et transgressives. Spike est un démon au sens du *daîmon* grec[182]. Il est une figure du désir, le creux thanatophilique dans lequel se lovent les désirs de complétude. Il est torturé et aime la prise de risque. On le voudrait romantique et séduisant, il est archaïque. Malgré les apparences, il n'est qu'un enfant prisonnier de ses besoins. Jamais, il ne se transcendera dans une figure de l'âge adulte. Contrairement à Buffy, il maîtrise difficilement la violence de ses pulsions. Il a pris le parti, comme les autres vampires, de se laisser guider par sa nature animale plutôt que par ses désirs.

Par un revers du destin, ce sera après son propre décès et son retour du royaume des morts que Buffy se laissera entraîner dans la spirale d'une histoire d'amour à la fois passionnelle et perverse dont le dénouement ne se livrera qu'avec la disparition finale de l'objet de la passion. Pour Buffy, Spike est une métaphore de l'objet cause du désir. Il est un objet (a), une représentation improbable. Est-ce si surprenant après tout qu'un prédateur de vampire s'amourache de sa victime, d'autant plus si cette dernière a été artificiellement humanisée ? L'histoire d'amour entre Buffy et Spike met en scène le coup de foudre adolescent dans ce qu'il manifeste comme processus de reconnaissance et impasse brutale à la sublimation. On ne tombe amoureux que de ce qui en chacun rappelle ce qui organise l'activité désirante. Dans le coup de foudre, puis dans l'aventure passionnelle, les amants s'enfoncent dans un fantasme de complétude mortifère. Buffy revenue de l'au-delà vivra ainsi une passion amoureuse avec un mort-vivant, une créature déjà morte. Leur histoire, comme de nombreuses histoires d'amour, est pathologique, parce que fondamentalement prise dans les miroirs du narcissisme. Entre soi et l'autre, l'adolescent hésite. Il tente d'aimer un autre sujet qui en retour lui renvoie ce qu'il désirerait. Ils se trompent mutuellement. Mais ils l'ignorent. Ils voudraient se détacher, se désengluer, respirer l'un sans l'autre, sans succès. Il en faut plus pour déchirer le voile de leurs illusions et les séparer. Parfois, et c'est ce qui advient dans *Buffy*, la souffrance de la séparation doit s'imprimer dans la chair, jusqu'à la dissolution finale.

LES ARCANES DE LA SOUFFRANCE

« La liberté de l'esprit n'est pas moins déterminée que sa servitude. » (Jean Rostand[183])

De façon répétée, les aventures de Buffy mettent ainsi en scène les différentes allées de la souffrance dans les relations humaines. Attentes déçues, volontés castrées, violentées, pulsions réprimées, condamnées, corps transformés et désirs insatisfaits... construisent le corpus de la série.

Dans le *Buffyverse*, l'amour physique dans ses aspects les plus crus n'est exposé que chez des personnages qui ont été touchés ou salis par une puissance extérieure. Le changement d'orientation désirante est provoqué par un choc émotionnel, une blessure physique ou narcissique. La blessure et ses stigmates jouent un rôle fondamental dans la transcendance de l'adolescence à l'âge adulte. Le passage d'une situation subjective à l'autre passerait donc par une atteinte du corps. *Quae nocent docent*, disaient les Latins : ce qui blesse enseigne. L'univers de Buffy n'échappe pas à ce dicton aux échos judéo-chrétiens appuyés. Il faut se battre, s'engager corps et âme, prendre le risque de la blessure, du deuil et de la déception afin de se faire une place non pas en tant que figure de l'aliénation à un ordre imaginaire quelconque (technologique ou métaphysique), mais en tant que sujet incertain toujours en quête d'un lendemain qui se conjugue avec le verbe devenir.

> « Écoutez les – les enfants de la nuit. Que leur musique est douce ! » (Bram Stoker[184])

NOTES

170. Tracy Little in « High School Is Hell : Metaphor Made Literal in *Buffy The Vampire Slayer* », in James B. South (éd.), *Buffy the Vampire Slayer and Philosophy: Fear and Trembling in Sunnydale*, Chicago and La

Salle, Illinois, Open Court, 2003, p. 282 (notre traduction pour cette citation et les suivantes).

171. « Le réel est en quelque sorte une expérience de la résistance », Jacques Lacan, 26 février 1964, in *Le Séminaire Livre XI, Les quatre concepts fondamentaux de la psychanalyse*, Paris, Éd. du Seuil, coll. « Champ freudien », 1973, p. 84.

172. S.P. Somtow in *Vampire Junction* (1984), Londres, Futura, 1985, p. 17. Cette figure du vampire rock star fut reprise dix ans plus tard par Anne Rice à travers le personnage de Lestat dans les *Vampire Chronicles*.

173. En anglais, *Buffy the Vampire Slayer* (BVS), littéralement *Buffy la Tueuse de vampires*. La traduction française a édulcoré l'aspect meurtrier de cette série pour n'en conserver que son aspect conflictuel.

174. Emmanuel Lévinas in *Dieu, la mort et le temps*, Paris, Le Livre de Poche, coll. « Biblio essais », 1997, p. 57.

175. Ce personnage secondaire n'apparaît toutefois que lors de la saison 5.

176. Michael P. Levine et Steven Jay Schneider, « Feeling for Buffy: The Girl Next Door », in James B. South, *op. cit.*, p. 303.

177. Edmond Jabès, *Le Livre des questions 2*, Paris, Gallimard, coll. « L'Imaginaire », 1989, p. 260.

178. Terme définissant des adultes qui se comporteraient encore comme des adolescents. Il fut proposé par Tony Anatrella dans *Interminables adolescences : les 12-30 ans*, Paris, Éd. du Cerf, 1988.

179. « L'âme part aux trois dimensions du temps, tandis que le corps ne perçoit que le présent », Cicéron, *Plaisir et vérité*, Paris, Arléa, 1993, p. 129.

180. « Figures inédites » in *Le Discours amoureux, Séminaire à l'École pratique des hautes études, 1974-1976*, suivi de *Fragments d'un discours amoureux : inédits*, Paris, Éd. du Seuil, coll. « Traces écrites », 2007, p. 675.

181. « On n'obtient pas le couvert, la sécurité ou la liberté par instinct, pourtant certaines créatures humanoïdes regrettent de ne pas être des animaux », Frank Herbert, Brian Herbert, Kevin J. Anderson, « From Caladan to Arrakis » in *The Road to Dune*, New York, Tor, 2005, p. 328.

182. « Ce sont en effet, certains d'entre eux qui, individuellement affectés à un champ de compétence bien spécifique, s'occupent de donner forme aux rêves, de fissurer les viscères, d'orienter le vol des

oiseaux, de composer le chant des oiseaux, d'inspirer les devins, de lancer les foudres, d'entrechoquer les nuages et de régir tous les autres signes qui nous permettent de deviner l'avenir », Apulée, in *Le Démon de Socrate*, Paris, Rivages, coll. « Petite Bibliothèque », 1993, p. 52-53.

183. Jean Rostand, *Inquiétudes d'un biologiste*, Paris, Le Livre de Poche, 1967, p. 150.

184. Bram Stoker, *Dracula* (1897), Londres, Penguin Books, 1979, p. 29 (notre traduction).

À PROPOS DES AUTEURS

ALLOUCHE, Sʏʟᴠɪᴇ

Ancienne élève de l'École normale supérieure, Sylvie Allouche a enseigné la philosophie dans le secondaire et dans diverses universités françaises ainsi qu'à Budapest. Précédemment *Marie Curie Research Fellow* à l'Université de Bristol pendant deux ans, elle est en 2013-2014 ATER à l'Université de Technologie de Troyes. Elle développe ses recherches selon deux axes complémentaires : 1. les enjeux éthiques et politiques futurs de la technologie ; 2. les rapports de la philosophie avec la fiction (science-fiction et séries télévisées en particulier). À ce titre elle coordonne depuis 2009 avec Sandra Laugier le programme *Philoséries*. Elle a aussi présenté une conférence intitulée « Les téléspectateurs croient-ils à leurs séries télévisées ? » pour le séminaire « Mythes et séries télévisées » de l'Université Grenoble 3 (2013).

BESSON, Aɴɴᴇ

Agrégée et ancienne élève de l'École normale supérieure Fontenay/Saint-Cloud, Anne Besson est maître de conférences HDR en littérature générale et comparée à l'Université d'Artois (Arras). Spécialiste des ensembles romanesques en littératures de genre et de grande diffusion contemporaines, particulièrement en science-fiction, *fantasy* et littérature de jeunesse, elle est l'auteure des essais *D'Asimov à Tolkien, cycles et séries dans la littérature de genre* (2004), et *La Fantasy* (2007). Impliquée dans l'organisation et la diffusion des activités de recherche, cofondatrice de l'association « Modernités médiévales », elle a organisé une douzaine de colloques et journées d'études, et (co-) dirigé une dizaine d'ouvrages collectifs dont *Fantasy, le merveilleux médiéval aujourd'hui* (2007), *Le Roi Arthur au miroir du temps* (2007), *Cycle et collection* (2008), *Le Moyen Âge en jeu* (2008), *Le Merveilleux entre mythe et religion* (2010).

BENOIST, Jocelyn

Jocelyn Benoist est professeur de philosophie contemporaine et de philosophie de la connaissance à l'Université Paris 1 Panthéon-Sorbonne. De formation phénoménologique, il a, après une thèse sur Kant, mené une série de recherches historiques sur la première phénoménologie de Husserl et les origines communes des traditions philosophiques phénoménologique et analytique dans ce qu'il est convenu d'appeler « philosophie autrichienne ». À partir de là, il s'est engagé dans la voie d'une réflexion philosophique plus personnelle, autour de la question de l'intentionalité, entre langage et perception. Ses travaux plus récents portent essentiellement sur le problème du réalisme et de l'ancrage de la pensée dans le réel, élargissant les questions et méthodes de la philosophie du langage vers la philosophie de l'esprit. Dans cette optique, il est notamment l'auteur de : *Les Limites de l'intentionalité* (2005), *Concepts* (2010), *Éléments de philosophie réaliste* (2011), *Le Bruit du sensible* (2013). C'est aussi un grand fan de *Buffy contre les vampires*, dont il apprécie tant les jeux de langage sophistiqués que l'arrière-plan métaphysique et le message politique.

GERRITS, Jeroen

Jeroen Gerrits est *assistant professor* en littérature comparée à Binghamton University (New York). Il a obtenu une maîtrise de philosophie de l'Université d'Amsterdam (2004), et un doctorat de littérature comparée de l'Université Johns-Hopkins (2011). Il conduit ses recherches en cinéma, critique et nouvelle théorie des médias, avec un intérêt particulier pour le cinéma mondial, la littérature numérique et les récits complexes. Il a publié plusieurs articles et chapitres d'ouvrages sur le cinéma et la philosophie, notamment sur les travaux de Stanley Cavell, et est en train de finaliser le manuscrit d'un livre sur la « philosophie du film », centré sur Gilles Deleuze et l'idée de Stanley Cavell selon laquelle le cinéma d'après-guerre traite de questions ontologiques et sceptiques. Il développe à présent un nouveau projet de livre qui traitera de la poésie numérique sous l'angle de sa relation au cinéma.

GARCIA, Tristan

Ancien élève de l'École normale supérieure, Tristan Garcia a soutenu une thèse de philosophie sous la direction de Sandra Laugier intitulée *Arts anciens, arts nouveaux. Les formes de nos représentations de l'invention de la photographie à aujourd'hui*, et publié en 2007 un ouvrage de philosophie intitulé *L'Image*. Son premier roman, *La Meilleure Part des hommes*, qui dépeint l'arrivée du sida au sein du mouvement homosexuel dans les années 1980, paraît en septembre 2008 chez Gallimard et rencontre le succès (prix de Flore). Poursuivant une œuvre de romancier (*Mémoires de la jungle*, 2010, *Les Cordelettes de Browser*, 2012, *Faber. Le destructeur*, 2013), Tristan Garcia publie en 2011 un essai de métaphysique aux Presses Universitaires de France : *Forme et objet. Un Traité des choses*. Il s'intéresse depuis longtemps aux séries télévisées, consacrant un essai à *Six Feet Under* (*Nos vies sans destin*, 2012) et codirigeant la collection « La Série des séries » aux Presses Universitaires de France.

JANDROK, Thierry

Thierry Jandrok est psychologue clinicien, docteur en psychologie psychopathologie et études psychanalytiques, et psychanalyste. En plus de ses travaux cliniques, il privilégie l'étude des littératures de l'imaginaire (contes, science-fiction, fantastique, horreur...), du cinéma et des séries télévisées. Une cinquantaine de ses publications ont paru dans des revues (*Phénix*, *Éclipses*, *Le Philosophoire*, *Études sur la mort*, *Observatoire de l'espace/*

CNES, Nord-Sud, Eidôlon, Topique, Neurologie, Psychiatrie, Gériatrie...), des ouvrages collectifs (*La Société terminale, Films cultes et culte du film chez les jeunes, L'Adolescente et le Cinéma, Fin(s) du monde...*), des actes de colloques (colloques de Cerisy, du CRELID), ainsi que sur Internet (ZornProject, Mouvances.ca). Il a aussi publié une monographie intitulée *Tueurs en série: les labyrinthes de la chair* (2009) et une fiction: « La guerre totale » (*Études sur la mort*, n° 144, 2014).

LAUGIER, Sandra

Ancienne élève de l'École normale supérieure, professeure de philosophie à l'Université Paris 1 Panthéon-Sorbonne, membre senior de l'Institut universitaire de France, spécialiste de philosophie américaine, traductrice de Stanley Cavell, Sandra Laugier mène ses recherches dans le champ de la philosophie du langage ordinaire, de la philosophie morale et politique, des *gender studies* et de la culture populaire (cinéma, séries télévisées). Elle a introduit en France les recherches sur l'éthique du *care*, et travaille à présent à les développer dans plusieurs directions: le perfectionnisme moral, l'éthique environnementale, les nouvelles formes de la démocratie et l'éthique des séries. Ouvrages récents: *Tous vulnérables? Le* care, *les animaux et l'environnement* (2012), *Le Souci des autres – éthique et politique du* care (dir. avec Patricia Paperman, 2006, 2ᵉ éd. 2011), *La Voix et la Vertu, variétés du perfectionnisme moral* (dir., 2010), *Pourquoi désobéir en démocratie?* (avec Albert Ogien, 2010, 2ᵉ éd. 2011).

MOLINIER, PASCALE

Pascale Molinier est une psychologue française dont les recherches se situent dans le champ de la psychodynamique du travail et de la psychosociologie. Elle s'intéresse aux enjeux de santé mentale dans les organisations contemporaines, et aux incidences du travail sur la construction des identités sexuées et sur l'économie érotique, en privilégiant dans ses analyses la perspective du genre. Ses travaux comportent par ailleurs une forte implication interdisciplinaire (avec la sociologie et la philosophie) et transdisciplinaire (avec la psychopathologie) et s'apparentent au courant de l'éthique du *care* qu'elle a contribué à développer en France. Actuellement professeure de psychologie sociale à l'Université Paris 13 Paris-Nord, elle est codirectrice de l'Institut du genre, et directrice de publication de la revue *Les Cahiers du genre*. Elle a notamment publié : *L'Énigme de la femme active : égoïsme, sexe et compassion* (2003), *Les Enjeux psychiques du travail* (2006), *Qu'est-ce que le* care ? (avec Sandra Laugier et Patricia Paperman, 2009), et *Le Travail du* care (2013).

OLSZEWSKA, BARBARA

Barbara Olszewska est sociologue/anthropologue, maîtresse de conférences à l'Université de Technologie de Compiègne, en délégation au Centre d'étude des mouvements sociaux pour l'année 2013-2014. Son travail de recherche actuel porte sur les pratiques artistiques en tant que milieux d'observation et de catégorisation des sociétés contemporaines. Elle prépare dans ce cadre un ouvrage sur « le film comme expérience », à partir de rencontres filmées avec des artistes et d'autres personnalités qui instancient l'idée du philosophe pragmatiste John Dewey de « l'art comme expérience » : Jean-Marie Straub, Sophie Calle, Jonas Mekas, Boris Lehman, Phill Niblock, Takahito Iimura, etc. Ce travail a une double visée : saisir les moments de transformation à l'œuvre, et contribuer à une réflexion sur l'esthétique située et les usages du film en sciences sociales. Il se place à la croisée de l'ethnométhodologie (Garfinkel), de la philosophie du langage ordinaire (Wittgenstein) ainsi que du pragmatisme (Dewey, James, Mead, Peirce), et utilise les techniques de l'ethnographie expérimentale et de l'analyse de conversation (Sacks).

Imprimé en France
FRHW011345290721
27918FR00002B/25